GLAUBE ALS WIDERSTANDSKRAFT

GLAUBE ALS WIDERSTANDSKRAFT

Edith Stein
Alfred Delp
Dietrich Bonhoeffer

Herausgegeben von Gotthard Fuchs

VERLAG JOSEF KNECHT · FRANKFURT AM MAIN

CIP-Kurztitelaufnahme der Deutschen Bibliothek

Glaube als Widerstandskraft : Edith Stein, Alfred Delp, Dietrich Bonhoeffer / hrsg. von Gotthard Fuchs. – 1. Aufl. – Frankfurt am Main : Knecht, 1986.
ISBN 3-7820-0523-6
NE: Fuchs, Gotthard [Hrsg.]

ISBN 3-7820-0523-6

1. Auflage 1986.
Printed in Germany.

Gesamtherstellung: Rheinhessische Druckwerkstätte, Alzey.

Inhalt

Vorwort

Im Frühjahr 1985, am Todestag Alfred Delps am 2. Februar, veranstaltete die Katholische Akademie Rabanus Maurus der Diözesen Fulda, Limburg und Mainz eine Tagung zum Thema »Glaube als Widerstandskraft«, bei der bewußt auch Edith Stein und Dietrich Bonhoeffer erinnert und gewürdigt wurden. Im selben Zusammenhang bot der Fachbereich Religionswissenschaften an der Johann Wolfgang Goethe-Universität in Frankfurt eine Vorlesungsreihe zu Alfred Delp und Dietrich Bonhoeffer an. Anlaß zu dieser Initiative waren die bevorstehende 40jährige Wiederkehr der Kapitulation des nationalsozialistischen Reiches und das ebenfalls 40jährige Jubiläum des Märtyrertodes von Delp und Bonhoeffer.

Der vorliegende Band dokumentiert die gehaltenen Vorträge, die für den Druck nur redaktionell verändert wurden. Bewußt wurden auch längere Originalzitate beibehalten, wurde auf ausführliche Bibliographien und lange Anmerkungsapparate verzichtet. Die Einleitung und das kurze Register sollen dazu helfen, die einzelnen Aufsätze untereinander zu vernetzen und rote Fäden zu knüpfen.

Ich danke allen, die zum Gelingen dieses Buches beigetragen haben, besonders dem damaligen Dekan des Fachbereichs Religionswissenschaften, Prof. Dr. Heinz Schmidt, der auf eine formelle Mitherausgeberschaft verzichtet hat. Ein herzliches Wort der Anerkennung und des Dankes gilt dem Verlag Josef Knecht.

Wiesbaden-Naurod, im Juli 1986

Gotthard Fuchs

»Nach jeder Begegnung, in der mir die Ohnmacht direkter Beeinflussung fühlbar wird, verschärft sich mir die Dringlichkeit des eigenen holocaustum ... Je mehr einer von der göttlichen Liebe erfüllt ist, desto mehr ist er geeignet, die für jeden prinzipiell mögliche Stellvertretung zu leisten.«

EDITH STEIN

»Wenn wir fragen: Lebt oder stirbt die Kirche?, dann meint das u n s e r e *Kirchenstunde. Da helfen uns keine Erwägungen. Da hilft uns nur die ehrliche Bestandsaufnahme dessen, was ist, und der innere Versuch, damit fertig zu werden ... Die Frage nach dem Tod der Kirche ist eine Frage an die Kirche vor Ort.«*

ALFRED DELP

»Hat die Kirche nur die Opfer aufzulesen oder muß sie dem Rad selbst in die Speichen greifen?«

DIETRICH BONHOEFFER

Gotthard Fuchs

Die Ökumene der Seliggepriesenen und der Horror Concreti in Theologie und Kirche

Einführende Bemerkungen zum Umgang mit dem Lebenswerk dreier Glaubenszeugen

Der Kontrast könnte kaum größer sein: Damals das nationalsozialistische Regime, heute ein demokratischer Rechtsstaat (und eine Deutsche Demokratische Republik); damals Kirchen in der Defensive und im Widerstreit (teilweise auch mit sich selbst), heute gesellschaftlich anerkannte und geachtete Kirchen; damals konfessionelle Abgrenzungen, heute ökumenische Annäherungen; damals, katholischerseits, eine pianische Kirchenmentalität, heute eine konziliare. Derlei Kontrastphänomene könnten und müßten für Staat und Kirche, für die Gesellschaft insgesamt noch mehr genannt werden. Freilich darf eine solche Kontrastierung nicht dahin führen, daß historische und kulturelle Zusammenhänge zwischen damals und heute ausgeblendet werden, so als wäre der Nationalsozialismus ein völlig isolierbarer Zwischenfall schicksalhafter Art, ohne Vorgeschichte und ohne Nachwirkung. In diesem Buch ist von einer Märtyrerin und zwei Märtyrern der Nazizeit die Rede, die stellvertretend für viele stehen. Heute ist hierzulande das Blutzeugnis um der Wahrheit willen weder Gefahr noch Chance. Im Zeichen des Pluralismus und im Beziehungsnetz einer liberalen Mentalität sind »Bekenner« oder gar »Blutzeugen« bestenfalls exotische Narren am Hofe einer permissiven Gesellschaft, mit allen (folgenlosen) Freiheiten und Rechten. Auch in den Kirchen hierzulande, vielfältig in das gesellschaftliche Gefüge mit erheblichen Privilegien eingebunden (welch letztere freilich nicht kostenlos sind), scheinen kantige Bekennerfiguren und konkret entschiedene Theologen eher die Ausnahme von der Regel – prinzipiell erwünscht, ja herbeigesehnt, in concreto aber gefürchtet und abgedrängt.

Hat die Erinnerung an Frauen wie *Edith Stein* und an Männer wie *Alfred Delp* und *Dietrich Bonhoeffer* also Alibicharakter? Dient das Gedächtnis der Opfer (zumal wenn sie zeitlich oder, wie in verfolgten Kirchen heute, räumlich und gefühlsmäßig weit weg scheinen) eher der Entlastung von der Frage, warum Christen und Kirchen hierzulande so wenig umstritten sind? Nach dem Tode der Bekenner und Märtyrer erfolgen Heiligsprechungen (relativ) leicht, aber der lebendige Umgang mit solch prophetischen Menschen zu Lebzeiten war und ist weit gefährlicher. Stellt man die Propheten und Märtyrer von damals aufs geschmückte Podest, um ihre wenigen Nachfolger heute ins Dunkel schieben zu können und der allseits empfohlenen Gleich-Gültigkeit der Konformisten zu frönen? Leben wir in prophetenloser Zeit hierzulande? Merkwürdig jedenfalls bleibt, daß die hier Erinnerten teilweise bis heute anstößig wirken: Katholischerseits ist z. B. der Beter und Märtyrer Alfred Delp längst willkommen und geehrt, keineswegs aber der Zeitanalytiker und Kirchenkritiker. Und Bonhoeffers schmerzlich durchlittene Glaubensentscheidung, schließlich gar im aktiven Widerstand gegen Hitler mitzuwirken, wird in evangelischen Kirchenkreisen neuerdings zur Ursache heutiger Desorientierung verfälscht.

In allen Beiträgen des vorliegenden Buches kommt die begründete Überzeugung zum Ausdruck, daß man im Blick auf heutige Problemfelder des Menschlichen und des Christlichen nicht Fragen und Antworten von damals kurzschlüssig übertragen dürfe. Weder die Glorifizierung der Damaligen noch die Selbstentmündigung der Heutigen hilft weiter, weder voreilige Vereinnahmung noch verdrängende Abwehr (oder gar Verketzerung). Jede Generation muß neu, mit der Anstrengung der Vernunft und in der Entschiedenheit des Glaubens, ihre Fragen formulieren und zu beantworten suchen. Aber sie kann, ja sie muß sich der Lebens- und Glaubensleistungen jener erinnern, die man nicht zufällig Väter und Mütter der Ökumene – in diesem Fall speziell auch der deutschen – nennt. Ein wechselseitig kritisches und kreatives Zwiegespräch ist vonnöten, in dem die historischen Distanzen wie die unterschiedlichen Kontexte weder verschwiegen noch überpointiert werden: ehrende und auch gefährliche Erinnerung also, aber auch aktualisierende Herausforderung; historisch kritische Rekonstruktion in durchaus praktischer Absicht. Wo standen sie damals und warum? Wo stehen wir heute, mehr als vierzig Jahre danach? Was ist von ihnen zu lernen, ohne daß wir sie kopieren und ohne daß wir das Fragmentarische ihres Werkes übersehen? Welche ihrer Hoffnungen sind erfüllt? Was bleibt aufgegeben und ist unabgegolten bis heute?

Solche Frage- und Antwortlinien hervorzuheben und zu unterstreichen, ist der einzige und bescheidene Sinn dieser Einführung. Dabei soll, eher systematisierend, auf jene Aspekte geachtet werden, die den drei Christen und Theologen trotz unterschiedlicher Sprachspiele, Denktraditionen und Erfahrungen in der Sache doch gemeinsam sind. Denn dies ist in sich ein erstaunliches

Faktum von ökumenischem Rang: wenn Christen, wo auch immer, sich nur radikal auf die Mitte ihres Glaubens rückbeziehen und von dort her ebenso radikal die Zeichen ihrer Zeit in den Blick (und in die Hand) nehmen, dann relativieren sich konfessionelle Unterschiede und es wächst die eine Ökumene aller Seliggepriesenen.

Bei der folgenden Akzentuierung einiger zentraler theologischer Themen wird natürlich ständig der Ertrag der hier abgedruckten Vorträge vorausgesetzt, die je für sich sprechen und nicht repetiert werden sollen.[1] Immerhin kann eine solche Skizze zur Orientierung im ganzen selbst dann nützlich sein, wenn sie keinerlei Vollständigkeit beansprucht. Einem hermeneutischen Grundsatz folgend, werden zunächst einige heute aktuelle Problem- und Erfahrungsfelder genannt, um Erkenntnis und Interesse deutlich zu machen (»Ortungen«). Erst dann folgen – anhand der Leitfrage des Buchtitels – einige »Perspektiven« zur Theologie und Spiritualität des »Glaubens als Widerstandskraft«.

I. Ortungen

»Der Kairos dieser Zeit verlangt von den Christen eine biblische, geistliche, pastorale und vor allem eine prophetische Antwort. In dieser Lage genügt es nicht, verallgemeinerte christliche Prinzipien zu wiederholen. Wir brauchen eine mutige und präzise Antwort – eine Antwort, die prophetisch ist, weil sie die besonderen Gegebenheiten dieser Krise anspricht, – eine Antwort, die nicht den Eindruck erweckt, man halte sich zwischen den Fronten, sondern eine Antwort, die klar und eindeutig Stellung bezieht.«[2] Was südafrikanische Christen und Theologen hier programmatisch formulieren – in dem sog. Kairos-Dokument vom 30. 9. 1985 –, hat grundsätzliche Bedeutung. Macht es doch mit

Nachdruck darauf aufmerksam, daß die Wahrheit auch des Glaubens konkret ist. Nichts ist der Glaubwürdigkeit des Glaubens abträglicher als die Angst vor der Konkretion hier und jetzt, der letzlich sündhafte horror concreti – allemal eine Unart der Konformisten und Mitläufer, eine der Hauptgefahren für Christen und Kirchen überhaupt.

Zu prüfen ist also, was heute und speziell in deutschen Landen christlich und theologisch an der Zeit ist. Wo ist heute der status confessionis gegeben? Wo muß heute Unterscheidung der Geister stattfinden – im Bewußtsein des Einzelnen, im gemeindlichen und kirchlichen Alltag, in Theologie und Kirchenleitung, in der Gesellschaft insgesamt und zugunsten aller Menschen? Folgt man den Analysen von Delp und Bonhoeffer, so läßt sich die Hypothese begründen, daß wir in einer bürgerlichen Gesellschaft mit kapitalistischen Wirtschafts- und Umgangsformen leben, in denen typische Aporien auftreten, die – jeweils unterscheidbar und doch in deutlicher Wechselwirkung – den Einzelnen und die Gesellschaft betreffen und zudem weltweite Auswirkungen haben.[3] Einige seien wenigstens angedeutet, um Erkenntnis und Interesse der Rückfragen an Delp und Bonhoeffer zu präzisieren.

1. Bekanntlich rücken heute auf verschiedensten Ebenen Grundfragen der Ethik neu in den Mittelpunkt. Dürfen wir alles, was wir können? So wird im Blick auf wissenschaftlich-technische Möglichkeiten hin gefragt. Es genügt, an die informations- und gentechnologischen Entwicklungen zu erinnern. Welche ethischen Kriterien können dazu mit der Hoffnung auf gesamtgesellschaftliche Konsensfähigkeit entwickelt werden? Im unmittelbaren Zusammenhang damit stehen Fragen, die die Identität und das Selbstbewußtsein des Einzel-

nen in der Informationsgesellschaft betreffen. Wie nämlich können – angesichts der Computerisierung der Lebenswelt und angesichts der manipulativen Möglichkeiten im Medienbereich – noch wirklich originale Gewissensentscheidungen ermöglicht, empfohlen und durchgehalten werden? Neben eher individualethischen Fragestellungen nach der Verantwortung des Einzelnen stehen, in Wechselwirkung damit, fundamentale sozialethische Fragen zur Lösung an. Schlagwortartig braucht hier nur an die Überlebensfragen im ökologischen und friedenspolitischen Kontext erinnert werden. Nicht minder zentral aber sind Fragen um die sozial gerechte Neuverteilung der immer knapper werdenden Erwerbsarbeit und die kreative Gestaltung der Freizeit. Solche Fragen haben, noch abgesehen von ihrer besonderen Relevanz gerade für die arm und ärmer werdende Zweidrittelwelt, deshalb solche Brisanz, weil gleichzeitig so etwas wie Staatsverdrossenheit und gesamtgesellschaftliche Gleichgültigkeit zu konstatieren sind. Die anonym erlebten Subsysteme der Gesellschaft werden kaum mehr als objektive Gestaltungen wirklicher Freiheit zum Nutzen jedes Einzelnen begriffen, sondern als fremde und entfremdende Größen, die man nur wie ein notwendiges Übel gelten und funktionieren läßt. Was weithin fehlt, ist eine gesamtgesellschaftliche Gründungsoffensive zur Neukonstruktion und Wiederherstellung ethischer Grundkonsense. Damit verbunden ist die Aufgabe, neu über die Vermittlung von subjektiver und objektiver Freiheit nachzudenken und also deutlich zu machen, inwiefern die Sicherung des Humanen für den Einzelnen z. B. der Institutionen notwendig bedarf, während umgekehrt die »Systeme« und »Apparate« transparent bleiben müssen auf die Einzelnen hin. Woher aber die konsensfähigen Orientierungsmarken zur Bewältigung dieser Grundfragen nehmen? Woran messen und vereinbaren, was menschlich ist und wie eine humane solidarische (Welt-)Gesellschaft aussehen soll?

2. Auffällig ist die Wiederkehr des Religiösen, vor allem in den westlichen Gesellschaften. Durch die Identitäts- und Relevanzkrisen der christlichen Kirchen und durch das Fehlen bzw. Versagen anderer Sinnagenturen ist offenkundig ein massives Sinnvakuum entstanden, in das unterschiedlichste religiöse und weltanschauliche Sinnangebote einströmen. Der Ursachen dafür sind viele: Überdruß an der Aufklärung und ihrer Dialektik, Unbehagen an einer einseitig wissenschaftlich-technischen und rational(istisch)en Weltsicht, Hilflosigkeit und Ablehnung gegenüber anonym erlebten gesellschaftlichen Mechanismen, Leiden an den schizoiden Strukturen der Gesellschaft (und des Bewußtseins) u. v. a. Unüberhörbar jedenfalls ist der Ruf nach Ganzheitlichkeit, nach Sinn, ja nach Transzendenz – ein Ruf freilich, der sich kaum mehr an die Kirchen richtet und eher synkretistische und esoterische Gestalt annimmt, sich entweder pietistisch innerlich oder politisch artikuliert. Tief ambivalent scheint sich darin Angst vor der eigenen Freiheit mit leidenschaftlicher Sehnsucht nach ihr zu mischen. Angesichts einer solch verwirrend diffusen Gemengelage ist, zumal aus christlicher Sicht, eine Unterscheidung der Geister dringend geboten. Dies scheint um so dringlicher, als man in kirchlichen Kreisen des öfteren zu der Meinung kommt, dieses neu erwachte Interesse an Religion komme gleichsam selbstverständlich einer Revitalisierung des Kirchlichen zugute. Eine vernunft- und evangeliumsgemäße Kriteriologie ist aber auch deshalb vonnöten, weil die Anfälligkeit für totalitäre Deutungsmuster in dieser Situation

steigt. Nicht ohne Grund wird man sich daran zu erinnern haben, daß sich auch der Nationalsozialismus als eine neue Religion verstand und sich so vielen Suchenden empfahl, bekanntlich mit Erfolg.

3. In der heutigen Christenheit wird lebhaft darum gerungen, ob und inwiefern der christliche Glaube auch politisch konkret werden dürfe und müsse. Christen und Theologen sehen sich durch vorherrschende Lebenssituationen herausgefordert, die Zustimmungs- und Widerstandskraft christlichen Glaubens als konkrete Antwort zur Geltung zu bringen, in theologischer Reflexion sowohl wie vor allem in spiritueller und politischer Praxis. Katholischerseits wird diese Problematik besonders unter dem Kennwort Praxis und Theologie der Befreiung bewußt, das keineswegs auf lateinamerikanische Kirchen zu beschränken ist. Im Weltrat der Kirchen ist die Thematik spätestens seit dem sog. Antirassismus-Programm virulent, und das eingangs zitierte Kairos-Dokument südafrikanischer Christen ist ein neuerlicher erschütternder Beleg für die Dringlichkeit der Fragen. Beunruhigt durch die zunehmende Gewalttätigkeit im eigenen Land, betroffen von der faktischen Bereicherung einer Minderheit auf Kosten der Mehrheit, schockiert durch die Mißachtung und Suspendierung fundamentaler Menschenrechte, fragen diese unmittelbar betroffenen Mitchristen der Zweidrittelwelt sich und uns, wie die Zeichen der Zeit zu deuten sind und welch konkreter Anruf Gottes darin sich artikuliert. Als völlig ungenügend werden idealistische oder konformistische theologische Konzeptionen bezeichnet, die bestenfalls einiges am status quo zum Besseren wenden, nicht aber diesen selbst unter das richtende und heilende Wort Gottes rufen. Es braucht also eine genaue Analyse der gesellschaftlichen und persönlichen

Lebensverhältnisse, ihrer Strukturen und Aporien im Lichte des Glaubens, damit das Salz des Evangeliums nicht schal und die befreiende Botschaft von der Erlösung (*und* dem Gericht) nicht abstrakt bleiben. Nicht nur aus Gründen der weltkirchlichen Solidarität und der ökumenischen Geschwisterlichkeit sind Christen und Kirchen hierzulande mitgefragt und gefordert. Vielmehr gilt es, im Lichte der Unterscheidungskraft des Glaubens auch zu prüfen, in welchem Maße die westlichen Gesellschaften und speziell die der Bundesrepublik aktiv mitverwickelt sind in einen internationalen Unrechtszusammenhang, der der Vision Pauls VI. von einer »Zivilisation der Liebe« Hohn spottet.

4. Zusammen mit der Selbstbewußtwerdung der Armen in der Welt sind es vor allem die Frauen, die in einer weithin noch patriarchalischen Lebenswelt ihre wirkliche Gleichberechtigung, ihre originale Würde und Identität suchen und erkämpfen. Nicht zuletzt in patriarchalisch geprägten Männerkirchen und androzentrischen Theologien fällt eben dies auf: die feministische Revolte und der stille Exodus der Frauen aus der Kirche, in der sie keine Heimat mehr zu finden vermögen. Wie auch immer man diese Frauenbewegung beurteilen mag, das Faktum selbst ist ebenso signifikant wie des selbstkritischen Nachdenkens wert – zumal für uns Männer, deren Selbstbild und deren Rolle in schöpferische Irritationen geraten. Für die zukünftige Gestalt von Kirche jedenfalls, aber gewiß auch für die Gestaltung des gesellschaftlichen Lebens nicht nur im Mikrobereich sind diese Veränderungen bedeutsam. Das alte Wort von der Partnerschaft steht neu zur Debatte und wird, primär wohl durch die Initiative von Frauen, konkret »alphabetisiert«.

Diese vier Erfahrungs- und Problemfelder, die untereinander natürlich zusammengehören, ließen sich vielfach ergänzen. Sie sind offenkundig schon mit einem gewissen Vorverständnis und Vorauswissen dessen ausgewählt, was vom Werk Steins, Delps und Bonhoeffers her zur kritischen Rezeption ansteht. Daß zu den beiden Männern bewußt wenigstens eine Frau erinnert wird, zumal eine, die frühzeitig für die Rechte der Frau in Kirche und Staat eintrat, ist kein Zufall. Daß die Fragen der politischen und individualen Ethik mit solchen nach der Eigenart christlichen Glaubens und kirchlichen Verhaltens korreliert werden, legt sich ebenfalls nahe. Insgesamt jedenfalls läßt sich, schon vor der Entfaltung von theologischen Perspektiven in der Nachfolge der drei Glaubenszeugen, konstatieren, daß sich die heutige Problemlage gegenüber der damaligen dahingehend radikalisiert hat, daß das Leben und Überleben aller auf dem Spiel steht und daß die Innen- und Umweltkrise sozioökonomisch, ökologisch, politisch und wohl auch religiös globale Ausmaße angenommen hat. Gegenüber dieser Problemlage mutet das Werk der drei noch typisch eurozentrisch an, bietet aber eine Fülle von menschheitlich extrapolierbaren und höchst aktuellen Perspektiven.

II. Perspektiven

Wiederum ohne jeden Anspruch auf Vollständigkeit und Originalität sollen nun einige theologische Hauptlinien aus den Werken der drei Zeugen hervorgehoben werden, die in den folgenden Aufsätzen vielfältig belegt sind und von aktuellem Interesse für Christsein und Kirchenbildung sein dürften. Wenn dabei das Wort von der Widerstandskraft aus Glauben eine gewisse Leitfunktion übernimmt, so wird – einer weit verbreiteten Engführung zuwider – schnell deutlich werden, daß hiermit keineswegs nur eine gesellschaftskritische und politische Dimension gemeint ist, sondern ein Aspekt, der ebenso die Konstitution des christlichen Subjekts und die Psychodynamik des Glaubensvollzugs betrifft, also mystisch und politisch zugleich ist.[4] Wenn denn christlicher Glaube ein neues Verhältnis zu allen Verhältnissen ist, den gesellschaftlichen wie den individuellen, dann muß sich das gerade in seiner schöpferischen Widerständigkeit zu allem, was bloß der Fall ist, zeigen. So geht es also keinen Augenblick um Protestlerei oder um ein – noch so ernst gemeintes – Kokettieren mit Widerstand und Konflikt. Wohl aber steht die Mitte des Evangeliums des Alten und Neuen Testamentes konkret zur Debatte, die Kernaussage der Bergpredigt nämlich, daß die Wirklichkeit Gottes in dieser Welt als ebenso befremdliche wie erfreuliche Alternative erscheint, als Feindesliebe nämlich. Wer dieser Wirklichkeit glaubend entsprechen will und dabei dem tödlichen Sog des horror concreti nicht erliegt, wird gerade als Gewaltloser Gewalt erleiden müssen und jenes Paradox der Seligpreisungen zu leben (und sterben) haben, demzufolge gerade die Friedfertigen und Hungernden, die zärtlich Gewaltlosen und »Sanften« die Verfolgten und Gefährdeten sind. Die Ökumene der Seliggepriesenen sammelt sich in der Nachfolge Jesu Christi und in der Gemeinschaft mit dem ohnmächtig-allmächtigen Gott im Zeichen des Gekreuzigten und *so* Auferweckten. Die folgenden Abschnitte, untereinander zusammenhängend und ineinander zu lesen, wollen dies hinsichtlich des glaubenden Subjekts, hinsichtlich der konkreten Kirchengestalt und der aktuell gebotenen Weltverantwortung akzentuieren.

1. Glaube als Zustimmungskraft

Im Unterschied und bisweilen auch Gegensatz zu anderen Wertentscheidungen und Grundhaltungen ist die Basis einer jeden christlichen Widerstandshaltung der Glaube daran, daß Gott in Jesus Christus definitiv Ja und nicht Nein zu Welt und Mensch gesagt hat. Entsprechend ist die Grundstruktur christlichen Glaubens nach Akt und Inhalt vom Wesen her keine Verneinung, sondern dankbare Annahme und schöpferische Aneignung jener Bejahung, die von Gott her auf Mensch und Welt auch und gerade dort zukommt, wo sie sündig und gottlos, ja – mit Delp gesprochen – gottunfähig sind. Ohne diese existentielle Annahme der schlechthin zuvorkommenden Gnade Gottes, die aller menschlichen Aktivität vorausliegt, bliebe alles Erlösungs- und Befreiungsbemühen des Menschen, theologisch gesehen, doch selbstherrlich und im Ansatz ambivalent. »Der Glaube kommt vom Hören« der definitiven Zustimmung Gottes zu Welt und Mensch und will deshalb primär auch als Zustimmungskraft zur Welt- und Menschengeschichte verstanden sein, individuell und kollektiv.

Daß solche Bejahung angesichts der vermeintlichen Normativität des Faktischen durchaus befremdlich, unwahrscheinlich und auch ärgerlich ist, leuchtet zwar fast unmittelbar ein, muß aber ausdrücklich zur Geltung gebracht werden. Denn zu nah liegt die Gefahr, daß die gläubige Bejahung der Welt zur spannungslosen Hinnahme, ja Affirmation alles Bestehenden verkommt oder aber hochstilisiert wird zu einer idealistischen Zustimmung, die mit der wirklichen Geschichte der Welt nichts mehr zu tun hat. Zwischen beiden Extremen erst wird die spezifische Spannung deutlich, als die Gottes Ja im menschlichen Ja erscheint. Offenbart sich doch Gottes Ja zu Welt und Mensch konkret in der Geschichte Jesu Christi, also durchaus nicht spannungslos und an den realgeschichtlichen Fakten vorbei. Gottes und der Glaubenden Ja zur Welt haben deshalb – faktisch notwendig – auch kontrafaktische und protestative Struktur. Dabei ist freilich das wirkliche Befremdliche und Ärgerliche dies, daß noch der schärfste Widerspruch zum Bestehenden aus einer bejahenden Hoffnungskraft kommt: Widerstand und Widerspruch als äußerster Ausdruck von christlicher Zustimmungskraft, das grundsätzliche Ja in der konkreten Gestalt des Nein.

So sehr also das Nein des Glaubens in der Luft hinge ohne die ständige Wahr-Nehmung von Gottes Ja – nochmals ein subtiler Ausdruck menschlicher Selbsterlösungsbemühung –, so sehr ist umgekehrt zu betonen, daß Christsein in dem Maße erschlaffen würde und in den Ausverkauf geriete, in dem nicht auch Gottes Nein zur faktischen Welt- und Menschengeschichte zu Wort käme. Die Gnade würde verbilligt, der Glaube würde zum Opiat, aus dem Schöpfer und Herrn der Welt würde ein bloß lieber Gott. Die Botschaft von der Erlösung impliziert notwendig die Vorstellung vom Gericht, und deshalb kann und muß schon jetzt – um der Erlösung und Vollendung willen – auch Gottes Widerspruch verkündet und angeeignet werden. Freilich: Gottes Ja und Nein liegen sachlich nicht auf derselben Ebene und dürfen nicht in eine antithetische Dialektik oder formale Paradoxie gebracht werden. Gott hat *nur* Ja zu Welt und Mensch gesagt, freilich in der konkreten Geschichte Jesu Christi – und diese impliziert das Kreuz. Die Botschaft von Gottes definitivem Ja ist keine double-bind-Botschaft, wo im selben Akt das Zugesagte wieder annuliert würde. In concreto aber muß dieses Ja oft die Gestalt des Nein annehmen, wie maßgeblich die Geschichte Jesu selbst zeigt. Jedes Nein aber, das aus dem Glauben unbedingt gesprochen werden muß, lebt aus der glaubenden Aneignung von Gottes Ja und ist von diesem gleichsam unterfangen. Diese Theo-Logik ist nicht umkehrbar, wenn anders aus dem Evangelium nicht ein Gesetz werden soll.

2. Glaube als Unterscheidungskraft

Entgegen einem Glaubensverständnis, das theoretisch und bloß appellativ bliebe, bestehen alle drei Glaubenszeugen darauf, daß Christwerden eine fundamentale Entscheidung ist, sich in jeweils neuen Entscheidungen konkretisiert und also praktisch werden muß. Ohne das Erkenntnismoment im Glaubensvollzug zu unterdrükken und dessen argumentative Vermittlungsstruktur zu unterschätzen, betonen Bonhoeffer, Delp und Stein doch *das Moment* der Willensentscheidung und der Tatkraft besonders. Der alte Satz Augustins, es komme keiner zum Glauben, wenn er es nicht wolle, wird hier sehr ernst genommen – unbeschadet des Wissens, daß solcher Glaube stets Gnade ist. Dem Entscheidungscharakter des Glaubens entspricht seine kritische, unterscheidende Kraft. Diese freilich wird wiederum nicht so sehr prinzipiell entwickelt, sondern streng auf ihren jeweiligen situativen Kontext bezogen. Die Unterscheidung der Geister »funktioniert« konkret oder gar nicht. Sie betrifft den Umgang des Menschen mit sich selbst, gleichsam den intrapsychischen Aspekt. Zugleich aber will der kritische Entscheidungs- und Unterscheidungscharakter des Glaubens auch gesamtgesellschaftlich und auch politisch buchstabiert sein.

Der gesamte Zusammenhang läßt sich an Struktur und Inhalt des allen Christen gemeinsamen Taufversprechens erläutern. Bekanntlich hat dieser Bekenntnisakt eine bezeichnende Doppelstruktur: Dem Ja zum dreieinigen Gott entspricht das Nein zu den Mächten des Bösen und den Göttern dieser Welt. Nur der kann konkret und überzeugend Ja sagen zum Gott Abrahams und Jesu Christi, der auch Nein zu sagen wagt zu all jenem in uns und um uns, was sich verabsolutiert und vergöttlicht. Gegenüber jedem Gotteskomplex, gegenüber jeder Selbstdivinisierung wirtschaftlicher, politischer und auch religiöser Macht muß Widerspruch und Widerstand geübt werden, soll der bejahende Teil des Bekenntnisaktes glaubwürdig und profiliert sein. In concreto also gilt es zu unterscheiden, wer der allein wahre Gott ist und wo Götzendienst geschieht. Dieselbe Logik gilt für das zweite und dritte Taufversprechen. Wer Jesus als den Christus Gottes bekennt, wer ihn als Gottes Sohn und wahren Menschen anerkennt, hat damit eine Entscheidung getroffen, die ihn kritisch und sensibel macht gegenüber all jenen Heilands- und Führergestalten um uns, die sich selbst zum Messias aufwerfen und ein Heil versprechen, das sie nicht zu bringen vermögen. Daß eine dementsprechende Christologie und Christopraxie zur Auseinandersetzung mit einem Mann wie Hitler führen muß, liegt auf der Hand und läßt sich zumal in den Predigten von Delp und Bonhoeffer fast auf jeder Seite nachweisen. Wer schließlich den Geist Jesu als »Herrn und Lebendigmacher« bekennt, distanziert sich damit zugleich von jenem Ungeist, der atmosphärisch und personal gesellschaftliche und individuelle Lebensverhältnisse verblenden kann. Eine konkrete situationsbezogene Pneumatologie käme also ohne eine Analyse des Faschismus nicht aus.

Läßt man sich auf das Lebenswerk von Delp, Bonhoeffer und Stein wirklich ein, dann stellt sich die Frage, ob dieser Wille zur Konkretion des Glaubens heutzutage genügend eingelöst ist. Eine Glaubensverkündigung, die nur abstrakt und letztlich idealistisch bliebe, könnte sich schwerlich auf Delp und Bonhoeffer berufen. Um der Unterscheidungs- und Tatkraft des Glaubens willen braucht es vielmehr klare Analysen der Lebensverhältnisse und der Zeichen der Zeit. Es muß jeweils neu zwischen Letztem und Vorletztem, zwischen der Wirklichkeit Gottes und der Wirklichkeit dieser Welt unterschieden (nicht getrennt!) werden. Würde das Taufbekenntnis nur einseitig in seinem Bejahungsaspekt rezipiert, wozu die bürgerliche Lebensform zweifellos verführt, dann würde die prophetische und eschatologische Dimension des Glaubens verlorengehen.

3. Glaube als Widerstandskraft

Bekenntnis im genannten christlichen Sinn ist stets ein kommunikatives Handeln, es setzt einen öffentlichen Kontext voraus, es ist ein in diesem Sinne auch politischer Akt. Nicht zufällig ist das griechische Wort für Bekennen und für Martyrium dasselbe. Nicht zufällig gerät Glaube, wenn er konkret wird, in den Prüfstand, und in Konsequenz unter Anklage. Glaube als Prozeß – das meint nicht nur die Entwicklungsgeschichte des Glaubens, sondern seinen prinzipiellen strittigen Charakter und seinen forensischen Kontext. Wer bekennt, steht vor einer Öffentlichkeit gegenüber Bestreitern, Gegnern oder Feinden für eine Wirklichkeit ein, die ihm lebenswichtig geworden ist und für die er andere nach Kräften gewinnen will. Die Wahrheit des Zeugnisses und mit ihr die Wahrhaftigkeit des Bekenners stehen zur Debatte, geraten unter Widerspruch und Anklage. Insofern der christliche Bekenntnisakt Entscheidungen voraussetzt und veröffentlicht, ist er der fundamental ekklesiale Grundakt.

Wo christlicher Glaube keinen Widerspruch erführe und selbst zu Widerspruch nicht fähig wäre, stünde er im Verdacht, konformistisch zu sein und nur mehr, mit Bonhoeffer zu sprechen, billige Gnade zu vermitteln. Wo das Ärgernis des Glaubens verloren ginge, verblassen Überzeugungskraft und Plausibilität desselben. Freilich, wie Delp bemerkt, ist nicht jedes Ärgernis, das Christen und Kirchen geben, ein solches des Glaubens. Die theologische Rede von der Ungleichzeitigkeit der Kirche und vom Ärgernischarakter des Glaubens kann sogar hochgradig ideologisch werden, insofern sie zur Selbstimmunisierung und schlechten Apologetik verkommt. Denken und Leben von Edith Stein, Dietrich Bonhoeffer und Alfred Delp sind hier in sich eine Anfrage an die Entscheidungs- und Widerstandskraft christlichen Lebens und kirchlichen Verhaltens heute. Zumal in einer missionarischen Grundsituation der Christenheit, angesichts der Religionslosigkeit des säkularen Zeitalters und der Gottunfähigkeit des modernen Menschens, kann Kirche nur in dem Maße attraktiv und überzeugend wirken, indem sie die Geister unterscheidet und Alternativen öffnet und anbietet.

Es ist dann schon zu fragen, warum christlicher Glaube in der Bundesrepublik gesamtgesellschaftlich so wenig anstößig und ärgerlich zu sein scheint. Es wäre genau zu prüfen, warum heutzutage viele Zeitgenossen trotz ihrer offenkundigen Sinnsuche an den real existierenden Kirchen vorbeigehen und von deren Verlautbarungen nicht mehr erreicht werden. Es müßte ebenfalls die tiefe Ambivalenz der Wiederkehr des Religiösen kritisch – eben in der Logik des Taufversprechens – analysiert werden, in Widerspruch und Anknüpfung. Solche Fragen lassen sich in einer einzigen zusammenfassen, die nicht zufällig von außen an die Kirchen der sog. Ersten Welt und also auch der Bundesrepublik gestellt werden: Wie sähe eine Theologie der Befreiung hierzulande aus? Was an selbstkritischer Analyse des gesellschaftlichen (und kirchlichen) Lebens wäre notwendig – etwa in der Perspektive einer Analyse der Bürgerlichkeit? Wie müßten jene Christen „erzogen" werden, die Glaube als Unterscheidungskraft auch zu leben in der Lage sind? Wie müßte die basisgemeindliche Struktur der erneuerten Kirche nachbürgerlicher Art aussehen?

4. Christwerden mit Konsequenz. Zur Psychogenese christlicher Subjektivität

Die biographischen Rhythmen der drei Glaubenszeugen, die hier zu Wort kommen, sind höchst unterschiedlich, und die Achtsamkeit auf ihre jeweils originale Glaubens- und Kirchengeschichte erscheint theologisch und lebenspraktisch ausgesprochen wichtig. Geht es doch um den Aufweis, daß christlicher Glaube an Gott nicht entmündigt oder ins Kollektiv zurückfallen läßt, sondern den Mut zur Eigenverantwortung, ja zur einsamen Entscheidung geradezu freisetzt. Wenn denn, wie Erich Fromm in seiner Psychoanalyse des Faschismus formulierte, in der bürgerlichen Gesellschaft die Angst, aus der Rolle zu fallen und Stellung zu nehmen, noch größer sei als die Angst vor dem Tode, dann ist die Frage um so dringlicher, wie es denn Frauen und Männern damals (und heute) möglich war, derart entschieden zu sein und zu werden. Es bedarf offenkundig einer besonderen personalen Konsistenz und Leidenschaft, um nicht nur Zivilcourage, sondern Zeugniskraft bis zum Märtyrium zu zeigen und Konfliktbereitschaft bis in Extremsituationen hinein durchzuhalten. »Wo Konflikt ist, muß gefochten werden, ohne Kompromiß, ohne Verrat und ohne Feigheit«, wie Delp formuliert.

Edith Stein kommt aus bürgerlich jüdischen Verhältnissen und findet in einer langen Suchbewegung die Phänomenologie Husserls als geeignetstes Instrument der Wahrheitsfindung. Im selbstlosen Hinhören und Wahrnehmen dessen, was ist, wird Edith Stein ihrer Identität als Frau inne – was sie schon Anfang der dreißiger Jahre zu vergleichsweise feministischen Initiativen zur Gleichbehandlung der Frau in Staat und Kirche veranlaßt. Ebenso wichtig ist ihre fortschreitend sich klärende Auseinandersetzung mit dem jüdischen Erbe, bis es – ausgelöst schließlich durch die Begegnung mit dem Alterswerk von Teresa von Avila – zur Entscheidung für das kontemplative Leben christlichen Glaubens kommt, ein Weg, dessen Konsequenz im Rückblick beeindruckt, dessen Brüche und Anfechtungen freilich nicht übersehen werden sollten.

Einen ganz anderen biographischen Start ins eigene Leben und Glauben findet *Dietrich Bonhoeffer* vor. Ganz im Kontext eines liberalen preußischen Luthertums und einer im besten Sinne bildungsbürgerlichen Kultur erwachsen, nimmt der früh geniale Theologe eine erste Kurskorrektur dadurch vor, daß er sich inmitten der liberalen Theologie der Berliner Fakultät mit dem Kirchenthema beschäftigt, das ihn fortan nicht mehr loslassen wird. Aber erst durch die Begegnung mit der Bibel wird der Theologe Bonhoeffer zum Christen. Er verzichtet auf Lehrstuhl und akademische Karriere. Er wird – als Christ – zum Zeitgenossen. Stand am Anfang der für die bürgerliche liberale Theologie typische horror concreti, so wird Bonhoeffers Weg beschreibbar als ein immer tieferes Eindringen in die Spannungen und Aporien der konkreten Kirche im konkreten Staat. Eine zunächst »nur« theologische Widerstandskraft – man denke schon an die Sensibilität des gerade 27-jährigen, der sich 1933 mit der Judenfrage befaßt – wird immer mehr zu einem höchst entschiedenen, konfliktfähigen Engagement in der konkreten Kirche, bis hin zur Entscheidung, Widerstand auch als politische Konspiration aus christlichen Gründen zu wagen.

Alfred Delp, der aus kleinbürgerlichen Verhältnissen kommt und den traditionellen Ausbildungsweg des Jesuiten beschreitet, fällt zunächst durch sein offensives Interesse an gesamtgesellschaftlichen Entwicklungen auf. Seine frühe Auseinandersetzung mit Heidegger und dem Geist der Neuzeit, seine Hinwendung zur Soziologie und Soziallehre, zunächst eher akademisch orientiert, verbünden sich fruchtbar mit seinem pastoralen, spirituellen und homiletischen Engagement. Die Konfrontation mit dem nationalsozialistischen Unrechtssystem nötigt ihn zu immer größerer Entschiedenheit, sowohl innerkirchlich wie in gesamtgesellschaftlicher Verantwortung. Auffällig ist, wie er zur selben Zeit, da er durch den hellsichtigen Mitbruder Augustin Rösch[5] zum Kreisauer Kreis stößt, noch öffentliche Vorträge über die Selbstghettoisierung der Kirche in der modernen Welt hält. Scharfsinnig analysiert er die Not des an seinem Gotteskomplex erkrankten neuzeitlichen Menschen, zugleich aber die innerkirchliche Entropie. Deutschland ist Missionsland geworden, und es fehlt an Christen, die dieses Land mit missionarischem Selbstbewußtsein vertreten. In konsequentester Seelenarbeit sucht Delp die Bindung in Gott, in seinem Orden und der Kirche, um gerade dadurch noch fähiger zu werden zur Kritik der bestehenden Verhältnisse und zur Ausarbeitung von schöpferischen Alternativen. Daß er schließlich im Gefängnis, den Tod vor den Augen, die ewige Profeß in die Hand seines Mitbruders Tattenbach ablegt (der heute noch in Guatemala als Missionar und Befreiungstheologe wirkt), ist weit mehr als ein Zufall, sondern sichtbares Zeichen äußerster Lebens- und Glaubenskonsequenz.

Sucht man nach typischen Gemeinsamkeiten in diesen Biographien, so fällt zunächst der leidenschaftliche Wille zu Wahrhaftigkeit und Lauterkeit auf. Sie wollen unbestechlich sein, wortwörtlich: gewissenhaft. Sie sind deshalb äußerst aufmerksam gegenüber inneren und äußeren Verführungs- und Entfremdungsinstanzen und -tendenzen. Bei allen dreien kommt signifikant der Mut hinzu, um Rat zu fragen und sich beraten zu lassen – wobei hier davon abgesehen werden kann, wie weit familiäre Bindungen schöpferisch bestimmend sind (wie vor allem bei Bonhoeffer), ob es gewachsene Freundschaften sind oder auch gleichsam ritualisierte und längst bewährte Formen der Seelenführung wie etwa bei Edith Stein und Alfred Delp (zumal in ihrem Orden). Das Instrument der persönlichen Beichte, das schließlich auch dem einst liberalen Christen Bonhoeffer wichtig wurde, ist hier zu nennen. Sie waren keine Einzelkämpfer. Drittens sei hervorgehoben, mit welchem Ernst diese Christen das Evangelium des Alten und Neuen Testamentes in Gestalt der Bibel beim Wort nahmen. Bonhoeffer z. B. erfährt seine entscheidende Lebenswende durch die Bergpredigt. Sie wissen sich persönlich von Gott gerufen. Mit dem bisher Gesagten hängt viertens eng zusammen, daß alle drei große und konsequente Beter waren – Beter nicht im Sinne einer weltflüchtigen Innerlichkeit und scheinfrommen Selbstgenüßlichkeit. Sie verstanden und praktizierten einsames und gemeinsames Gebet vielmehr als alles fundierende Unterscheidung zwischen Gott und Mensch. Im Gebet wird ja dieser wohltuende Unterschied eingeübt, praktiziert und erfahren, daß Gott allein Gott ist, daß der Mensch also endlich Mensch werden könne und frei werde von seinen Gotteskomplexen: Gebet also als Einweisung in das menschliche und weltliche Leben im Licht und vor dem Angesicht Gottes, Gebet als konkrete Nachfolge Jesu. Beten hatte für sie sehr viel zu tun mit dem Aushalten von Spannungen vor Gott und in ihm – und alle drei Zeugen waren in diesem Sinn gespannt Wartende, adventliche Menschen. All dies brachte ihnen, mit und trotz Anfechtungen und Krisen, eine auffällige Mischung von Gelassenheit und Leidenschaft. Die tiefe Rückbindung in das Zentrum des Glaubens und dessen intime Aneignung waren die Voraussetzung, um schließlich auch im Alltag bis zum Äußersten gehen zu können. Die Kraft zum Widerstand resultierte nicht aus projektiver Aggressivität oder einer bloß abstrakten Lust am Widerspruch, sondern kam aus jener verborgenen Mitte – die, einem archimedischen Punkt gleich, Distanz und Engagement zugleich ermöglicht und das Vorletzte vom Letzten unterscheiden läßt. Ebenso erwächst der Mut zur Stellvertretung bis zum Selbstopfer nicht aus masochistischer Leidenschaft, sondern aus der im Glauben gewonnenen Freiheit und Solidarität.

Stein, Delp und Bonhoeffer sind Zeugen dafür, daß Selbstbewußtsein und Selbstlosigkeit, Freimut und Demut christlich gleich ursprünglich und koextensiv sind. Leidenschaftliche Gelassenheit und ebenso engagierte Kampfkraft gehören dann untrennbar zusammen. Das schließt selbstverständlich tiefste Krisen und Zweifel nicht aus – zumal in der Haft und in einsamen Stunden. Der Ernst freilich, der aus der Glaubensgewißheit kommt, ist begleitet von Heiterkeit und Humor. Hier muß ein fünftes Merkmal noch eigens genannt werden: der Mut sich »von außen« stören und in Beschlag nehmen zu lassen. Alle drei sind in auffälliger Weise solidarisch mit dem, was in der Welt geschieht. Sie sind keine Individualisten im narzißtischen und privatistischen Sinn. Deshalb ist ihre christliche Psychogenese überhaupt nicht rekonstruierbar ohne ihren Willen zur Zeitgenossenschaft, ohne ihre Verantwortung für Mitmenschen im einzelnen, aber eben auch für die gesamtgesellschaftliche Lage des Volkes. Personalität und Sozialität bestimmen den Weg ihrer Reifung in signifkanter Ergänzung und (wechselseitiger) Erschließung. Gottes Ruf in die Nachfolge ergeht gleich ursprünglich von »innen« und von »außen«. Erst im Hören auf das innere und das äußere Wort, auf den Anruf des Herzens und der Situation kommt es zur Glaubensentscheidung in concreto.

Da heutzutage das Wort Spiritualität oftmals als eine Art Kampf- und Programmwort gebraucht wird, das einen notwendigen Gegensatz zu gesellschaftlich-politischer Verantwortung suggeriert, können die angedeuteten Aspekte der Christwerdung bei Delp, Bonhoeffer und Stein aktuell dienlich sein. Zeigen sie doch deutlich, daß christlicher Glaube sich nicht weltflüchtig und spiritistisch verwirklichen kann – und Spiritualität, christlich verstanden, meint immer jene geschenkte, erlittene, erbetete und erkämpfte Spannungseinheit von Gottesbezug und Weltverantwortung, von Kampf und Kontemplation, von Gebet und Tat hier und jetzt.

5. Entdeckung der konkreten Kirche

Wenn man die Lebensläufe und Glaubenstraditionen der drei Zeugen gerade in ihrer Unterschiedlichkeit auf sich wirken läßt und auf voreilige Synthesen verzichtet, dann fällt schließlich eine fundamentale Gemeinsamkeit von höchster ökumenischer Relevanz besonders auf: weil der Glaubensvollzug selbst möglichst konkret und situativ begriffen wird, wird auch Kirche in concreto neu wahrgenommen, ja allererst entdeckt und gestaltet. Ist sie doch die Konkretion des Willens Gottes in der Welt, trotz und in all ihrer Vorläufigkeit.

Am auffälligsten ist diese neue Würdigung von Kirche gewiß bei Bonhoeffer. Daß er sich von seiner Promotion in Berlin an bis zu den Gefängnisbriefen mit dem Wesen und der konkreten Gestalt von Kirche theologisch beschäftigte, ist bekannt und wird in den folgenden Beiträgen vielfältig belegt. Daß sein theologisches Nachdenken stets vermittelt und oft verursacht war durch das Engagement in der konkreten Kirche, ist ebenfalls derart zentral, daß eine Rekonstruktion dieses Zusammenhangs einer Gesamtdarstellung von Leben und Werk gleich käme. Erinnert sei nur an den Kirchenkampf, der ja eine äußerst leidenschaftliche und paradigmatische Auseinandersetzung um Wesen und Auftrag der konkreten Kirche überhaupt war. Als Bonhoeffer sich für die Mitarbeit im aktiven Widerstand gegen Hitler entschied, ja entscheiden »mußte«, überlegte er sogar, ob er aus der Kirche austreten müsse, um diese nicht mit seiner einsamen Entscheidung zu belasten und zu gefährden. Umgekehrt wagte selbst die Bekennende Kirche nicht, ihn in ihr Fürbittbuch aufzunehmen. Und theologisch konnte Bonhoeffer den Satz wagen: »Wer sich wissentlich von der Bekennenden Kirche in

Deutschland trennt, trennt sich vom Heil.« Dieser 1936 in einer spezifischen Notsituation formulierte Satz darf freilich nicht – im negativen Sinn katholisierend – abstrakt verstanden und absolut gesetzt werden. Auf seiner Linie können durchaus die anders gestimmten Überlegungen des Gefangenen Bonhoeffer liegen, der sich über die Kirchengestalt in nichtreligiöser Zeit Gedanken macht.

Nicht minder situationsbezogen sind Delps Überlegungen und Entscheidungen. Bei einem derart kirchlich gebundenen und engagierten Christen erstaunt um so mehr der Mut, die real existierende eigene Kirche unter das Wort (und Gericht) Gottes zu rufen und sich über die Zukunft einer erneuerten Kirche Gedanken zu machen. Delp wagt es, in Anknüpfung an weithin unbekannte Aussagen der frühkirchlichen Kirchenväter, vom Tod der Kirche hier und jetzt zu sprechen. Selbstverständlich ist er, der Katholik und Jesuit, zutiefst von der Dauer der Kirche in der Menschheitsgeschichte aufgrund der Verheißung Gottes überzeugt. Aber das hindert ihn nicht nur nicht, ja das nötigt ihn, nach dem möglichen Sterben einer Kirchengestalt hier und jetzt zu fragen. Gerade aus dem Glauben an Gott und aus der leidenschaftlichen Bindung an diese konkrete Kirche erwachsen Kraft und Mut zur konkreten Kirchenkritik bis hin zur Perspektive ihres Sterbens.

Zumal das Phänomen der bürgerlichen und verbürgerlichten Kirche macht Delp zu schaffen. Durchaus in einer Sachparallele zu Bonhoeffer sieht er die Gottunfähigkeit des modernen Menschen, der das Vertrauen zur Kirche (und zu sich) verloren habe und in religionsloser Zeit mit einer solchen Religionsgemeinschaft nichts mehr anfangen könne. Dabei ist, bezeichnend und maßgeblich genug, der Duktus von Delps ekklesiologischem Denken nicht von einem vorwurfsvollen Affront gegen die böse Welt geprägt, sondern von der selbstkritischen Frage, ob und wieweit die Kirche ihrem Auftrag noch genüge oder – durch Tode hindurch – einer Erneuerung bedürfte. Delps Meditationen über die Kirche, die er im Gefängnis unternimmt, sind diesbezüglich an Zuversicht, Entschiedenheit und Selbstkritik schwerlich zu überbieten, und ekklesial noch längst nicht eingeholt, trotz des Konzils. Sein Suchen nach einer wirklich diakonischen und missionarischen Kirche, deren Orientierungspunkt das Evangelium und die Not der Gesamtgesellschaft ist, ist immer noch aktuell.

Bei Edith Stein kommt ein ekklesiologischer Akzent hinzu, der wiederum auffällige Sachparallelen zu Bonhoeffer und Delp erhellt. Ihre Entscheidung für den kontemplativen Orden der Karmelitinnen ist wesentlich vom Motiv der gesamtkirchlichen, ja universalen Stellvertretung inspiriert. Das Leben in monastischen Basisgemeinschaften scheint ihr zudem besonders geeignet, Gottes Berufung in konkreter Verbindlichkeit zu leben. Auffällig ist, daß Bonhoeffer aus vergleichbaren Überlegungen monastische Traditionen für das Predigerseminar und Bruderhaus der Bekennenden Kirche reaktiviert (und sich dafür von anderen christlichen Traditionen, besonders anglikanischer Art, anregen läßt). Wie stark schließlich für Delp die ignatianische Spiritualität und die Lebensform des Jesuitenorden bestimmend sind, wird allerorten, besonders aber in der Haft deutlich. Dabei war Delp – wiederum Bonhoeffer ceteris paribus vergleichbar – durchaus nicht bequem in seinem Orden. In dieser Betonung jeweils konkreter und überschaubarer kirchlicher Gemeinschaften – gerade in Zeiten ekklesialer Krisen und Belastungen – liegt zweifellos ein ökumenisch wichtiger Fingerzeig.

Ökumene überhaupt, zumal zwischen Protestanten und Katholiken, war damals noch weithin ein Fremdwort. Und deutlich sind die drei Christen in jeweils ihre konfessionelle Welt eingebunden. Um so erstaunlicher ist aber die Offenheit, mit der diese Christen – der Not der Zeit gehorchend und den Anruf des Evangeliums vernehmend – mit Mitchristen anderer Kirchen und Konfessionen zusammenstanden und -arbeiteten, wo es sich ergab. Bonhoeffer war schon früh in der internationalen Ökumene engagiert und war durchaus offen auch für katholische Kontexte. Für Delp ist die Mitarbeit im Kreisauer Kreis ein Markstein gelebter Ökumene. Noch in den letzten Aufzeichnungen weist er wie beschwörend darauf hin, daß es endlich mit konfessionellem Konkurrenzdenken ein Ende haben müsse – um der Welt willen. Diese trotz allem selbstverständlich ökumenischen Tönungen wären nicht vollständig gehört, wenn nicht vom Judentum eigens die Rede wäre. Edith Stein verstand sich bleibend in tiefster Gemeinschaft mit und in dem einen leidenden Gottesvolk. Vor allem Bonhoeffer war unerbittlich in der Überzeugung, daß die sog. Judenfrage das Wesen der Kirche selbst berühre und nicht nur deren moralische Glaubwürdigkeit. Nachdenklich stimmt, daß im Werk Delps und vieler Katholiken eine solch entschiedene geistlich-kirchliche Solidarität mit den Juden fehlt.

Schließlich ist beim Bedenken ekklesiologischer Zusammenhänge auf den damals noch selbstverständlich patriarchalischen Kontext hinzuweisen. Die Stimme Edith Steins, die nach der wirklichen Gleichstellung der Frau fragte, klingt noch heute prophetisch.

6. Mystik und Politik der Nachfolge

»Stationen auf dem Wege zur Freiheit«, so hatte Bonhoeffer ein Gedicht in der Haft überschrieben. Darin werden typische Aspekte dessen berührt, was Nachfolge Jesu konkret auszeichnet und was nicht nur in Bonhoeffers berühmter gleichnamiger Schrift dargestellt wird. Es war ja in sich ein ekklesiales und geistliches Datum von Rang, daß diese Zentralkategorie des Neuen Testamentes für die eigene Lebensgestaltung und für das Kirchenverständnis wiedergewonnen wurde. Kommt darin doch – schon sprachlich – heraus, daß Christsein ein verbindliches Nachgehen in der Spur eines anderen ist. Es ist keine Eigenleistung etwa moralisch heroischer Art, es ist kein Reden und Handeln aus bloß subjektiver Kompetenz, es ist gebunden und maßgebend orientiert am Reden und Handeln Jesu, an Gottes Wort und Tat. Und wiederum liegt der Akzent auf der situativen Konkretheit dieses Weg-Geschehens der Nachfolge in der Spur Christi.

In einem bürgerlich liberalen Lebensmilieu besteht die Gefahr, daß Christsein abstrakt, prinzipiell und theoretisch bleibt – zudem etwas für die Feiertage und Festfeiern allein. Schon Kierkegaard hatte demgegenüber auf Konkretion bestanden und die Entschiedenheit der Nachfolge betont, allem horror concreti zum Trotz. Bonhoeffer und – sachlich identisch – Delp und Stein reagieren kaum irgendwo so allergisch wie dort, wo sie die ängstlich angepaßten und halbentschiedenen Mitmenschen und Mitchristen im Blick haben. Wo der Glaube nur ein Gedanke bliebe oder gar ein Gefühl, wo er nicht zur konkreten – um den Preis auch der Schuld – gewagten Tat entschiedener Freiheit wird, da ist er in Wahrheit noch nicht Glaube. Wo Christen nicht – ihrem Taufversprechen gemäß – in eine spürbare und schließlich auch manifeste Nachfolge Jesu eintreten und stattdessen im – geistlich wie theologisch – Beliebigen bleiben, tragen sie faktisch zum Tode der Kirche bei. Dies freilich wird nicht moralistisch eingefordert, sondern als Konsequenz der empfangenen Gnade des Glaubens entfaltet. Diese kann, wie etwa Edith Stein zeigt, so weit führen, daß man den Weg in den Glaubensgehorsam, in die Armut und in die Ehelosigkeit geht – und dies um der größeren Freiheit und Stellvertretungsbereitschaft willen.

Solche Nachfolge Jesu Christi ist aber niemals privat und bloß innerlich: die Entscheidung zum Glaubensgehorsam in konkreter Lebensgemeinschaft ist eine direkte Antwort auf den allseits vorherrschenden Willen zur Macht um uns und in uns; der Weg in die Armut der Seligpreisungen ist eine Glaubensantwort auf eine possessive und kapitalistische Habenmentalität; der Verzicht auf sexuelle Selbstverwirklichung ist eine Antwort auf das weit verbreitete Potenzgehabe jedweder Art. Glaubensentscheidungen dieser Art, so persönlich sie sind, haben immer eine Dimension konkreter und universaler Solidarität: wer sich aus Glauben zum Weg in die Armut entschließen darf, tritt damit freiwillig auf die Seite derer, die unfreiwillig arm schon sind; er trifft, wie es in heutiger Theologie der Befreiung heißt, eine Option für die Armen. Er vollzieht einen Paradigmen- und Statuswechsel. Er macht in der Nachfolge Jesu Gottes Nein und Gottes Ja konkret für sich und für andere.

Nachfolge Christi ist also Teilhabe am Wirken und Leiden Gottes in der Welt, es ist Mitvollzug des erlösenden und befreienden Schöpfer- und Erlöserwirkens. In dieser Bindung hat Nachfolge ihren Ursprung, ihr Movens und Ziel. Von hier aus wird auch deutlich, daß Nachfolge Jesu mystisch und politisch zugleich ist – allen schizoiden Trennungen zum Trotz, denen zufolge man zwischen innerlicher Frömmigkeit und weltlicher Tat, zwischen Heilsdienst und Weltdienst aufspalten möchte. Geht es doch in der Nachfolge des Gekreuzigten und Auferstandenen um den Gott, der das Heil aller will und also um seine Schöpfung im ganzen. Der Akt der Gottes- und Nächstenliebe, der Glaubensakt der Nachfolge richtet sich auf diese konkrete Welt- und Menschengeschichte – nicht weil man die Gottunmittelbarkeit im Glaubensvollzug »horizontalistisch« vergäße, sondern gerade weil man diese konkret ernst nimmt. Wer könnte sagen, daß er den Gott Jesu Christ wirklich liebt, wenn er die bejahende Zustimmungskraft zu Welt, Mitmensch und Mitkreatur nicht aufbrächte? Nachfolge in der Konkretion des Taufversprechens ist ja das Nachgehen der Wege, die der suchende Gott, wie Delp formuliert, längst uns vorausgeht; sie ist zugleich das solidarische Mitgehen mit den Wegen der Gott suchenden Mitmenschen.

Der Weg solcher Nachfolge führt also mitten hinein in die realgeschichtlichen Aufgaben und Nöte, Ängste und Hoffnungen, Niederlagen und Leistungen. Sie betrifft den Einzelnen in seiner intrapsychischen Verfaßtheit und in seinen zwischenmenschlichen Beziehungen. Sie hat aber nicht minder Relevanz für die politischen, sozialen, wirtschaftlichen und kulturellen Verhältnisse. Es hat deshalb guten theologischen Sinn, auch von dämonischen bzw. heilbringenden Strukturen zu sprechen. Es gibt die soziale Sünde wie die personale in unterschiedener Einheit. Und auch die »teure« Gnade ist in diesem Sinn innerlich heilschaffend und strukturell heilbringend. Die »Mystik der Erde« (Alfred Delp) aus

Glauben ist also »pietistisch« und »politisch« zugleich – in unvermischter und ungetrennter Einheit. Nachfolge Christi hat eine »private« und »öffentliche« Dimension, und es ist immer der ungläubige horror concreti, der beides trennen möchte und ein halbseitig gelähmtes Christentum empfiehlt.

In dieser Spannung erst wird vollends deutlich und schmerzlich erfahrbar, daß christliche Nachfolge allemal im Zeichen des Kreuzes Jesu steht und »Kreuzeswissenschaft« (Edith Stein) ist. Der Mut zum Leiden und die Freiheit zum Tode (oft schon mitten im Leben) resultieren aus der gnadenhaften Teilhabe am erlösenden Wirken des mitleidenden und ohnmächtigen Gott in einer Welt, die vom gottlosen Willen zur All-Macht beherrscht und verunstaltet wird.

7. Anbetung und Befreiung

Delp hatte in seiner Kritik der Bürgerlichkeit formuliert, daß selbst der Heilige Geist wie ratlos stehe vor dem bürgerlichen Menschen, der sich hinter all seinen selbstgemachten Sicherheiten und Versicherungen angsthaft verschanzt. In seiner letzten Weihnachtsmeditation hatte er darüber nachgedacht, wer an der Krippe des menschgewordenen Gottes nicht zur Anbetung erschienen sei und dabei unter anderem auch die »Synagoge«, die amtliche bürgerlich gewordene Kirche ausgemacht. Wo die Menschen aber nicht mehr, vom Geist Gottes innerlich geöffnet und äußerlich gedrängt, zur Anbetung des allein wahren Gottes gewillt und fähig seien, da geraten sie in die Aporien ihrer eigenen Gotteskomplexe. Unfähig, Gott allein Gott sein zu lassen und dank seiner endlich Mensch und Mitmensch zu werden, müssen sie notwendig andere und anderes anbeten und also vergötzen. Dies aber gerät nur um den

Preis der Unfreiheit, der Versklavung und Ausbeutung. Noch wichtiger als Brot und Freiheit also, weil deren Grundlegung und Ermöglichung, ist die unverratene Treue und Anbetung Gottes. Von hierher kann nochmals unterstrichen werden, daß und warum eine Lebensentscheidung für die Tat der Kontemplation und der Anbetung – etwa am Beispiel Edith Steins – alles andere als Weltflucht oder christliches Allotria ist angesichts der Nöte der Zeit.

Jene Befreiung, die schließlich wirklich zum Ziele führt und nicht neuerlich wie ihren dunklen Schatten wieder Unfreiheit und Gewalt mit sich bringt, kann also, theologisch gesehen, nur aus der radikalen Bindung an den dreieinigen Gott allein erwachsen. Die erlösende Gegenwart dieses Gottes aber stößt innergeschichtlich auf Widersacher und Widerstände, etwa in Gestalt der vergötzten Trinität »Volk – Partei – Führer«. Der Akt der Anbetung, der seine Wahrheit und Notwendigkeit in sich hat, gehört deshalb notwendig mit der Tat ihm entsprechender Befreiung zusammen. Daß diese sachliche Einheit von Anbetung und Befreiung in concreto gleichsam arbeitsteilig zu erfolgen hat, weil alles seine Zeit hat und nicht alles immer an der Zeit ist, ist selbstverständlich. Die wirklichen Christen und Theologen der Befreiung haben dies zu allen Zeiten gewußt und bezeugt, indem sie entschieden Handelnde und Betende waren. Es könnte eine Abwehrreaktion und Selbstimmunisierung besonderer Art sein – zumal im Gewande der vermeintlich größeren Frömmigkeit –, wenn man die unterschiedene Einheit von Anbetung und Befreiung aufsprengen und Anbetung isoliert zum Index wahrer Christlichkeit machen wollte. Genau so fatal wäre es natürlich, Befreiung in abstracto zum Panier zeitgemäßer Christlichkeit erklären zu wollen, ohne die Praxis der Anbetung gleichermaßen zu empfehlen und zu üben. Die Ökumene der Seliggepriesenen jedenfalls sammelt sich aus solchen, die genau die spannungsvolle Einheit von Anbetung und Befreiung leben und der Angst vor der Konkretion des Glaubens nicht erliegen.[6]

Im Sinne auch von Edith Stein und Alfred Delp müssen deshalb Bonhoeffers selbstkritische Fragen auch heute am Schluß und am Anfang stehen:

»Sind wir noch brauchbar?
Wir sind stumme Zeugen böser Taten gewesen, wir sind mit vielen Wassern gewaschen, wir haben die Künste der Verstellung und der mehrdeutigen Rede gelernt, wir sind durch Erfahrung mißtrauisch gegen die Menschen geworden und mußten ihnen die Wahrheit und das freie Wort oft schuldig bleiben, wir sind durch unerträgliche Konflikte mürbe oder vielleicht sogar zynisch geworden – sind wir noch brauchbar? Nicht Genies, nicht Zyniker, nicht Menschenverächter, nicht raffinierte Taktiker, sondern schlichte, einfache, gerade Menschen werden wir brauchen. Wird unsere innere Widerstandskraft gegen das uns Aufgezwungene stark genug und unsere Aufrichtigkeit gegen uns selbst schonungslos genug geblieben sein, daß wir den Weg zur Schlichtheit und Geradheit wiederfinden?«

[1] Deshalb verzichte ich auf längere Originalzitate und deren genauen Beleg. Beides ist in den Einzelbeiträgen – auch mit Hilfe des Registers – schnell zu entdecken. – Ich verzichte bewußt auch auf die Auflistung von Sekundärliteratur zu den Gedanken der Einleitung.

[2] Eine Herausforderung der Kirchen. Das KAIROS Dokument, in: Junge Kirche 47 (1986) 34–39, 95–100, 164–171, hier 164

[3] Vgl. Oswald von Nell-Breuning: Kapitalismus – kritisch betrachtet. Zur Auseinandersetzung um das bessere »System«, Freiburg 1986

[4] Ausgeblendet bleibt die Widerstandsthematik der Psychotherapie, obwohl sie für die Gesamtthematik und für den Prozeß der Christwerdung ausgesprochen wichtig ist. Scheitern doch die besten Vorsätze und die klarsten Einsichten lebenspraktisch und auch christlich/kirchlich oft an unerkannten oder nicht bearbeitbaren Widerständen. Vgl. Hilarion Petzold (Hrsg.): Widerstand. Ein strittiges Konzept in der Psychotherapie, Paderborn 1981

[5] Vgl. Augustin Rösch: Kampf gegen den Nationalsozialismus, Frankfurt 1985

[6] Vgl. Gustavo Gutiérrez: Aus der eigenen Quelle trinken. Spiritualität der Befreiung, München–Mainz 1986

Heinz Boberach

Propaganda – Überwachung – Unterdrückung

Die Instrumente des NS-Staates im Kampf gegen die Kirchen

Die Geschichte der Kirchen unter der nationalsozialistischen Herrschaft verläuft zwischen Anpassung und Auseinandersetzung, sie wird sichtbar in Kundgebungen und Bekenntnissen, Äußerungen von Bischofskonferenzen und Synoden. Neben mutigen Pfarrern und Laien gab es andere, die sich tatsächlich oder scheinbar vom Regime vereinnahmen ließen. Das ist vielfach objektiv, nicht selten auch apologetisch oder polemisch dargestellt worden.[1] Um jedoch Äußerungen und Verhaltensweisen zu verstehen, ist es nötig zu wissen, welche Instrumente der NS-Staat entwickelt hatte, um die Kirchen in ihrer Wirksamkeit zu beschränken, zu überwachen und zu unterdrücken. Davon soll hier die Rede sein.

Als wesentliches Mittel zur Stabilisierung der eben errungenen Macht setzte die nationalsozialistische Führung bereits 1933 das neue Reichsministerium für Volksaufklärung und Propaganda unter Goebbels ein.[2] Die Pressekonferenz der Reichsregierung, die Abteilungen für Presse, Schrifttum, Rundfunk, Film und die dem Ministerium unterstellte Reichskulturkammer sollten alle öffentlichen Äußerungen verhindern, die das Regime hätten gefährden können, und ihrerseits Gegenäußerungen zur Beeinflussung der öffentlichen Meinung produzieren. Die Zwangsmitgliedschaft in der Reichspressekammer und in der Reichsschrifttumskammer für jeden, der sich publizistisch äußern wollte, ermöglichte es, die politische »Zuverlässigkeit« zu überprüfen und bei dem geringsten Zweifel den Ausschluß zu verfügen. Über die Hauptfachschaft der kirchlich-konfessionellen Presse war sowohl der Reichsverband der evangelischen Presse als auch die Fachschaft der katholisch-kirchlichen Presse in den Kontrollapparat eingegliedert. Regelmäßig wandte sich die Reichskulturkammer an die Geheime Staatspolizei, um Auskünfte »über die politische Zuverlässigkeit von Geistlichen usw.« einzuholen, und ließ einzelne Veröffentlichungen prüfen.[3] Wer einmal aufgefallen war, mußte auch kleinste Arbeiten – z. B. 1939 Jochen Klepper die Rezension eines Buches über die Mädchenjahre der Königin Viktoria – dem Propagandaministerium vor der Veröffentlichung zur Zensur vorlegen.[4]

Bereits seit Dezember 1933 war die Gründung neuer Zeitschriften verboten, wovon vor allem die Bekennende Kirche getroffen wurde. Weitere Eingriffsmöglichkeiten ergaben sich bei der Rohstoffbewirtschaftung zur Vorbereitung des Krieges, indem der konfessionellen Presse die Papierzuteilung gekürzt wurde. Die katholische Tagespresse war schon 1936 faktisch beseitigt, verschwunden waren aber auch die Preußische (Kreuz-)Zeitung oder die Hamburger Zeitschrift »Glaube und Volk«. Hatte es am 1. April 1934 1205 evangelische Zeitschriften mit einer Auflage von 14,7 Millionen gegeben, so war ihre Zahl am 1. 4. 1940 auf 733 mit 9,8 Millionen Auflage zurückgegangen. Ganz offen erklärte Goebbels am 24. 2. 1941 in der Minsterkonferenz, die Umsetzung von Kräften aus dem Druckereigewerbe in die Rüstung sei eine »gute Gelegenheit, die gesamte kirchliche Presse abzuschaffen und zu verbieten«; am

28. 3. 1941 ging ein entsprechendes Schreiben an den Reichsminister für die kirchlichen Angelegenheiten, doch dauerte es noch bis zum Januar 1943 und bis zum September 1944, bis die konfessionelle Presse faktisch ganz eingestellt wurde.[5]

Goebbels selbst oder seine leitenden Mitarbeiter bestimmten in täglichen Pressekonferenzen, welche Meldungen in welchen Zeitungen in welchem Umfang veröffentlicht werden durften. So erging 1938 die Weisung, über den Prozeß gegen Martin Niemöller nur die Meldung des Deutschen Nachrichtenbüros zu bringen. Pressevertreter wurden zur Hauptverhandlung nicht zugelassen. Nach dem Anschluß Österreichs wurden der Presse einerseits Angriffe auf »eingefressene protestantische Norddeutsche« verboten, um den Kirchen kein »Wasser auf die Mühlen zu geben«, andererseits wurde es untersagt, eine Ankündigung des Gustav-Adolfs-Vereins wiederzugeben, in Österreich sollten evangelische Kirchen gebaut werden.[6]

Am deutlichsten äußerte Goebbels sich in der Pressekonferenz vom 20. Dezember 1940. Er beschwerte sich darüber, daß die Kirchen Christus als Führer bezeichnet hätten und fuhr fort: »Wenn dieser Begriffsfälschung nicht mit aller Schärfe ein Riegel vorgeschoben werde, hätten die Kirchen die Möglichkeit, mit durchsichtiger Perfidie jeden deutschen Staatsbegriff zu entwerten. Jeder, der sich gegen die geheiligten Staatsbegriffe vergehe, werde zur Rechenschaft gezogen. Jede Zeitschrift und jedes Buch, das unsere Begriffe verfälscht, wird beschlagnahmt. Höchste Geldstrafen werden dafür sorgen, daß aus Verurteilten keine Märtyrer werden.«[7] Ende 1941 verbot er, über die Tolerierung der Kirchen in der Sowjetunion zu berichten, um nicht falsche Hoffnungen für Deutschland zu wecken, und zwei Weisungen vom 17. 2. 1942 und 23. 1. 1943 bestimmten, auf die Hirtenbriefe der Bischöfe Graf Galen und Preysing nicht einzugehen, die Abrechnung mit ihnen werde bis nach Kriegsende vertagt.

In gleicher Weise wie die Veröffentlichungen in der Presse wurde die Publikation von Büchern durch die Verlage kontrolliert und beeinflußt. In den Listen »des schädlichen und unerwünschten Schrifttums« erschienen von Jahr zu Jahr mehr Titel aus christlich-konfessionellen und freikirchlichen Verlagen. Ihr Anteil verdoppelte sich von 1935–1938, besonders betroffen waren die großen katholischen Häuser wie Herder, Kösel, Schöningh und Pustet. Jede Kritik an Blutsmystik und Rassenvergötzung wurde als Angriff auf die Grundlagen des nationalsozialistischen Staates gewertet.[8] In Konkurrenz zum Propagandaministerium wurde die parteiamtliche Überprüfungskommission zum Schutze des NS-Schrifttums als weitere Zensurbehörde tätig.

Neben der Repression der kirchlichen Presse und aller Berichterstattung über kirchliche Angelegenheiten in der Tagespresse besorgte das Propagandaministerium und die ebenfalls von Goebbels geleitete Reichspropagandaleitung der NSDAP die gegen die Kirche gerichtete Propaganda. Sie wurde dabei unterstützt vom Reichspressechef der NSDAP, Otto Dietrich, und vom Reichsleiter für die NS-Presse, Max Amann, nicht zuletzt aber auch von Alfred Rosenberg als »Beauftragter des Führers für die Überwachung der gesamten geistigen und weltanschaulichen Schulung der NSDAP«, der eigens ein »Archiv für kirchenpolitische Fragen« einrichtete, das 1937 zum »Amt für weltanschauliche Information«, 1942 zum »Hauptamt Überstaatliche Mächte« gehörte.[9]

Ihren Höhepunkt erreichte die aktive antikirchliche Propaganda von Staat und Partei im Jahre 1936–37, als die Sittlichkeitsprozesse gegen Ordensangehörige und Priester zu einem propagandistischen Großangriff auf die katholische Kirche benutzt wurden.[10] Neben den entsprechenden Artikeln und Berichten in der Tagespresse, deren Einsatz in der Pressekonferenz genau dosiert wurde, erschien eine Fülle von Broschüren und Flugschriften. Ende 1937 führte Bischof Preysing 59 Titel auf, die dazu beitragen sollten, im deutschen Volk »jede Achtung und Ehrfurcht vor Christentum und Kirche zum Erlöschen zu bringen«.[11] Dazu gehörten Pamphlete wie »Christliche Grausamkeit an deutschen Frauen«, »Klerikale Unterwelt« oder die zum Preis von 20 Pfennigen vertriebene Schrift des Hauptschriftleiters des »Westdeutschen Beobachters« Martin Schwaebe »Die Wahrheit über die Sittlichkeitsprozesse«.

In den publizistischen Angriffen auf die Kirchen taten sich die Zeitschriften der SS und der Hitlerjugend besonders hervor. »Das Schwarze Korps«, »Wille und Macht«, »Nordland«, wandten sich regelmäßig gegen die Kirchen, den politischen Katholizismus und einzelne Geistliche.[12] Die Artikel des antisemitischen Hetzblattes des Gauleiters Streicher »Der Stürmer« wurden vor allem durch den Aushang in parteiamtlichen Schaukästen verbreitet, die sich nicht selten gerade in der Nähe von Kirchen befanden. Sie konnten dort auch Personen und nicht zuletzt Jugendliche erreichen, die sich dieses Blatt niemals gekauft oder es zu Hause vorgefunden hätten.

Um die Wirkung dieser Propaganda wie aller Maßnahmen von Staat und Partei auf die öffentliche Meinung zu erfassen, bediente sich der Nationalsozialismus eines differenzierten Überwachungsapparates. Das System der regelmäßigen politischen Lageberichterstattung, das es in Preußen wie in Bayern bereits im 19. Jahrhundert gegeben hat, wurde ab 1933 ausgebaut und erweitert. Wie schon in der Weimarer Republik wurden die Regierungspräsidenten als politische Kontrollinstanz zur Berichterstattung aufgefordert. Ein Erlaß des Reichsinnenministers vom 7. Juli 1934 machte ihnen im ganzen Reich zur Pflicht, monatliche »Gesamtübersichten über die politische Lage« einzureichen, die ein »erschöpfendes und wahrheitsgemäßes Bild« liefern sollten. Die Gliederung war genau vorgeschrieben, jeweils unter Nr. 3 war über Kirchenpolitik – getrennt nach evangelischer und katholischer Kirche – zu berichten; in zusätzlichen »Ereignismeldungen« war auf besondere Vorkommnisse, z. B. die Verhaftung von Geistlichen, hinzuweisen.[13]

Die Regierungspräsidenten kamen den Weisungen sorgfältig nach. So berichtete der Regierungspräsident von Stettin Graf Bismarck-Schönhausen für März/April 1935, »der Kirchenstreit werde als z. Zt. brennendste innenpolitische Frage angesehen, seine vernünftige Beilegung sei der dringende Wunsch aller Nationalsozialisten«, und er gelte als eine »außerordentliche Gefährdung des nationalsozialistischen Staates und der Volksgemeinschaft«. Kirchenbesuch und Kirchenleben seien stärker geworden, durch die Verhaftung von Pfarrern sei die Bekennende Kirche nur gestärkt worden. Für April 1938 stellte die Regierung Ansbach fest, daß in der evangelischen Kirche in den Predigten der letzten Zeit mehr Mäßigung festzustellen sei, es gleichwohl immer noch unverbesserliche Geistliche gebe, die Anlaß zu Beanstandungen seien. Für die katholische Kirche heißt es, die bisherige Einstellung zu Staat und Partei habe sich nicht geändert, wenn auch nach außen hin im allgemeinen Zurückhaltung festzustellen gewesen sei. Diese allgemeinen Feststellungen werden für beide Kirchen durch einzelne Beispiele von Pfarrern, die sich an der Volksabstimmung über den Anschluß Österreichs nicht beteiligt hatten, und für beschlagnahmte Broschüren ergänzt.

Die Meldungen der Regierungspräsidenten beruhten ihrerseits wiederum auf der Berichterstattung der Landräte und Polizeidienststellen. So ergibt sich aus dem Monatsbericht des Bezirksamtes Ebermannstadt vom 30. 11. 1936, daß in verschiedenen Gemeinden in den Kirchen abgehaltene Versammlungen über die Frage »Bekenntnisschule und Gemeinschaftsschule« überwacht und die Äußerungen der Redner aufgezeichnet wurden.[14]

Sehr viel systematischer und intensiver als durch die Behörden der allgemeinen und inneren Verwaltung erfolgte die Überwachung und Beobachtung der Kirchen wie aller anderen potentiellen Gegner und der öffentlichen Meinung überhaupt durch den Sicherheitsdienst (SD) der SS. Das von Reinhard Heydrich geleitete SD-Hauptamt in Berlin erteilte den SD-Stellen im ganzen Reichsgebiet und ihren ca. 30 000 Agenten die Weisungen, nach denen sie zu beobachten und zu berichten hatten. In der Zentrale gab es Referate für kirchliche Angelegenheiten, die die Meldungen auswerteten und zu Berichten verarbeiteten.[15] Schon im Januar 1935 wurden die SD-Mitarbeiter nach Berlin gerufen, wo ihnen der frühere katholische Geistliche und spätere SS-Obersturmbannführer Albert Hartl als der zuständige Sachbearbeiter einen Vortrag über die Gefahren des politischen Katholizismus hielt, über die katholische Aktion informierte und die »schärfste Überwachung aller kirchlichen Gruppen wie Pfarrernotbund, Bekenntnisfront und Glaubensbewegungen« als unbedingt notwendig darstellte.[16] Für 1937 und 1938 sind die entsprechenden Dienstanweisungen des SD-Oberabschnitts Südwest in Stuttgart an seine nachgeordneten Dienststellen überliefert. Darin wird u. a. vorgeschrieben:[17]

»Beobachtung und Erfassung der katholischen Geistlichkeit;
Ordensniederlassungen müssen beobachtet, überholt und bis ins Einzelne erfaßt werden;
Beobachtung und Aufzeichnung aller größeren regelmäßigen katholischen Feiern;
die Beteiligung des Volkes am kirchlichen Leben muß durch ständige Teilnahme am Gottesdienst kontrolliert werden;
über Pfarrer, die öfters ins Ausland gehen, muß Postüberwachung eingeführt werden;
auf die Zusammenarbeit der beiden Konfessionen ist sorgfältig zu achten;
eine systematische Predigtüberwachung muß durchgeführt werden.«

Um geistliche und kirchliche Organisationen zu bespitzeln, wollte der SD möglichst Angehörige des überwachten Personenkreises selbst gewinnen. Es ist nicht auszuschließen, daß die Bereitschaft dazu manchmal auch durch Erpressung erzielt wurde. Hartl hat behauptet, zu seinen Informanten hätten 200 Geistliche aller Konfessionen gehört. Vielfach dürfte es dem SD auch gelungen sein, Agenten unerkannt in Klöstern und anderen Einrichtungen »einzubauen«. Mancher Geistliche und Laie hat gewiß außerdem als Zuträger gewirkt, ohne jemals zu erfahren, daß er für den Sicherheitsdienst Informationen lieferte.

Die im SD-Hauptamt, ab Kriegsbeginn Amt III des Reichssicherheitshauptamtes, zusammengestellten »Meldungen aus dem Reich« erhoben den Anspruch, »die Stimmung in der Bevölkerung rückhaltlos, ohne Schönfärberei oder propagandistische Aufmachung, d. h. sachlich, klar, zuverlässig und verantwortungsvoll« zu schildern. Dieser Anspruch wurde mit gewissen Einschränkungen erfüllt. Zunächst jährlich und vierteljährlich, dann ab Oktober 1939 zweimal wöchentlich gaben die Berichte ein zutreffendes Bild von der Lage der christlichen Bevölkerung unter der totalitären Herrschaft des Nationalsozialismus, das auch der Kontrolle durch andere Quellen standhält.[18] Weil sie auf Beobachtungen im ganzen Reichsgebiet beruhen und alle Bereiche des kirchlichen Lebens vom Episkopat und Kirchenleitung bis herab zur Dorfgemeinde und sämtliche Arten christlich bestimmter Äußerungen vom Hirtenbrief bis zum vertraulichen Gespräch bei einer Wallfahrt berücksichtigen, können sie ein hohes Maß an allgemeiner Gültigkeit beanspruchen. Die besondere Aufmerksamkeit der SS galt, wie sich daraus zeigt, dem Widerstand gegen das Neuheidentum, der Entstehung der Bekennenden Kirche, der Jugendseelsorge, den Bemühungen um die seelsorgerische Betreuung von Soldaten und ausländischen Arbeitern, den kirchlichen Feiern, gegen die sich die »Lebensfeiern« der Partei nicht durchsetzen konnten, und immer wieder der »tendenziösen Zeitkritik der Konfessionen«, und dem »Mißbrauch nationalsozialistischer Grundwerte« durch die Kirchen.[19] So werden Beispiele aus Predigten angeführt, deren Tendenz es sei, nur der Glaube an Christus gebe den Soldaten die erforderliche Kraft zum Durchhalten.[20] Einer im vollen Wortlaut wiedergegebenen Predigt aus der Bekennenden Kirche wird die Tendenz vorgeworfen, daß Glaubensfreiheit ein hohes Gut für ein Volk sein solle, daß Neutralität gegenüber Chrisus unmöglich sei und daß offenes Bekennen zwar Leiden, aber auch die Erfahrung göttlicher Hilfe bringe. Ganz besonders wird immer wieder festgestellt, daß es den Geistlichen gelungen sei, bei einer großen Anzahl von Jugendlichen den Einfluß der Hitlerjugend zurückzudrängen und sie für die Kirchen zu gewinnen.[21] Schon am 16. November 1942 muß ein Bericht feststellen, »unter der Einwirkung des Kriegsgeschehens hätten vielfach die nun religiös vereinsamten Menschen in ihrer Ratlosigkeit wiederum Zuflucht in der Kirche gesucht, um im Gemeinschaftsleben der Kirche vor allem auf dem Lande Halt und Trost und religiöse Lebensordnung zu finden«.[22] Das für das ganze Reichsgebiet gebotene Bild wird durch einzelne Berichte lokaler Dienststellen des Sicherheitsdienstes in Franken nur bestätigt.[23]

Während sich der Sicherheitsdienst darauf beschränkte, Informationen über die Kirchen zu sammeln, waren Exekutivmaßnahmen, die aufgrund dieser Informationen ergingen, Sache der organisatorisch mit ihm in der Spitze, dem Reichssicherheitshauptamt, verbundenen Geheimen Staatspolizei. Auf einer Arbeitstagung im Herbst 1941 erhielten ihre Kirchensachbearbeiter aus dem ganzen Reichsgebiet die Weisung, »in der Hauptsache dafür zu sorgen, daß die Kirche keine Positionen zurückerobert«.[24] Auch die Gestapo sollte das Hauptgewicht auf die kirchenpolitische Nachrichtendiensttätigkeit richten und alles Material sammeln, das irgendwie Bedeutung erlangen könnte. Auf dieser Tagung wurden die einzelnen Mittel aufgezählt, die der Gestapo zur Verfügung standen, um gegen jede Art aus

»christlicher Überzeugung resultierender Opposition gegen das Regime« einzuschreiten.

Die mildeste Form staatspolizeilicher Maßnahmen war die Verwarnung. Sie bestand darin, daß jemand, der sich unbeliebt gemacht hatte, zur Gestapo vorgeladen und ihm schärfere Maßnahmen angedroht wurden, wenn er sich nicht zurückhielte. Verwarnt wurden etwa 1942 ein Pfarrer im Kreis Gunzenhausen, weil er ohne Genehmigung Bibelstunden abgehalten hatte, und zwei evangelische Pfarrer, weil sie am »Hagelfeiertag« 1941 einen Feiertagsgottesdienst gehalten hatten. Ein Mädchen aus Nürnberg erhielt eine Verwarnung, weil sie sich 1942 mit elf anderen Mädchen in einem Heim zu einer »getarnten Freizeit« getroffen hatte, und ein Mann in Ansbach dafür, daß er konfessionelle Druckschriften an Mitglieder des Christlichen Vereins junger Männer bei der Wehrmacht versandt hatte.[25]

Einschneidender konnte das sog. Sicherungsgeld wirken. Es war durch Erlaß vom 29. 3. 1940 eingeführt worden, »um die harmlosen Fälle politischer dummer Geschwätzigkeit« zu verfolgen und sollte besonders bei Haftunfähigen angewandt werden. Das Minimum betrug 100 Reichsmark, die auf ein Sperrkonto eingezogen und bei »einwandfreier Führung« nach drei Jahren zurückbezahlt, sonst der NS-Volkswohlfahrt oder dem Winterhilfswerk überlassen wurden. Ein Pfarrer im Kreis Aalen mußte 1941 wegen »Sabotage« der Arbeit der Hitlerjugend 300 Reichsmark bezahlen, und ein Sicherungsgeld von 1000 Reichsmark, etwa zwei Monatsgehälter, wurde über einen katholischen Pfarrer im Kreis Bergheim verhängt, der öffentlich vor dem Spielfilm »Ich klage an«, der für die Euthanasie werben sollte, »gewarnt« und in einer Predigt vom »geistigen Bolschewismus in Deutschland« gesprochen hatte. Als sich 1943 ein ostpreußischer Studienrat weigerte, das von ihm wegen unerlaubter Abhaltung von Religions- und Konfirmandenunterricht in weltlichen Räumen geforderte Sicherungsgeld zu bezahlen, wurde er für zwei Monate in Haft genommen. Der Versand eines Gemeindebriefes an Soldaten und unangemeldete religiöse Zusammenkünfte im Pfarrhaus wurden mit 400 Mark belegt, eine angebliche Schädigung des Ansehens der Wehrmacht in einer Predigt 1943 mit 1000 Mark.[26]

»Sehr gefürchtet« war unter der Geistlichkeit nach Ansicht der Gestapo das Aufenthaltsverbot. Es war durch die Verordnung des Reichspräsidenten zum Schutz von Volk und Staat vom 28. 2. 1933, die in § 1 die persönlichen Freiheitsrechte beschränkt hatte, eingeführt worden und wurde besonders in den ersten Jahren der nationalsozialistischen Herrschaft über evangelische Geistliche verhängt. Es konnte für den Wohnort, für einen ganzen Regierungsbezirk, aber auch für eine Provinz oder ein Land verhängt werden. 1939 nannte die Fürbittenliste der Bekennenden Kirche 101 Pfarrer, die von der Ausweisung aus ihrer Gemeinde und 31, die von einem Aufenthaltsverbot für eine Provinz betroffen waren.[27] Derartige Verbote wurden z. B. verhängt über Pfarrer, die sich 1938 geweigert hatten, an der Volksabstimmung zum Anschluß Österreichs teilzunehmen,[28] aber auch über einen Pfarrer, der in der Christenlehre von Kirchenverfolgung gesprochen hatte und deshalb sich in Baden und Hohenzollern nicht mehr aufhalten durfte. Geistliche, die aus der Haft entlassen wurden, sollten möglichst ebenfalls nicht an ihren früheren Aufenthaltsort zurückkehren dürfen, »um zu verhindern, daß der Zurückgekehrte als Märtyrer gefeiert wird«[29].

Ebenfalls, vor allem in den ersten Jahren, war häufig ein Verbot ausgesprochen worden, zu predigen oder in anderer Form öffentlich zu reden. Auf der Fürbittenliste vom 8. August 1939 werden noch 44 derartige Fälle genannt. Einer davon war der Leiter des bayrischen Amtes für Volksmission, Helmut Kern, der im ganzen Reichsgebiet nicht als Redner auftreten durfte.[30]

Nach Ansicht der Gestapo bestand auch die Möglichkeit, Geistlichen die seelsorgerische Tätigkeit überhaupt zu verbieten, davon wurde jedoch kaum Gebrauch gemacht. Betätigungsverbote erstreckten sich allerdings häufig auf einen bestimmten Bereich seelsorgerischer Tätigkeit, nämlich den Religionsunterricht. Die Erlaubnis, ihn zu erteilen, wurde sehr rasch entzogen, wenn Geistliche oder Lehrer ihn nach Auffassung von Nationalsozialisten zu kritischen Bemerkungen »mißbraucht« hatten. Das konnten abfällige Bemerkungen über die Hitlerjugend gewesen sein, aber auch die öffentliche Bekanntgabe eines Austritts aus der Kirche, was seit 1937 verboten war.[31]

»Als Zwangsmaßnahme der Gestapo zur Abwehr aller staats- und volksfeindlichen Bestrebungen« konnte »Schutzhaft gegen Personen angeordnet werden, die durch ihr Verhalten den Bestand und die Sicherheit des Volkes und des Staates gefährden«.[32] Dabei war zu unterscheiden zwischen der kurzfristigen Schutzhaft, einer vorläufigen Festnahme für eine Höchstdauer von drei Wochen, und der langfristig verhängten Schutzhaft, die grundsätzlich im Konzentrationslager vollzogen wurde. Kurze Zeit verhaftet waren etwa im März 1935 480 Pfarrer, weil sie die Kundgebung der Dahlemer Bekenntnissynode verlesen hatten. 1937 waren zeitweise 805 evangelische Bekenntnispfarrer in Haft. Ein katholischer Vikar wurde 1941 drei Wochen eingesperrt, weil er »eine Veranstaltung der Pfarrjugend mit unzulässigen weltlichen Darbietungen durchgeführt hatte«; er hatte ein Theaterstück eingeübt.[33] Vom 8. August bis 7. November 1941 war ein anderer Pfarrer in Schutzhaft, der die Teilnahme polnischer Zivilarbeiter an Gottesdiensten zugelassen hatte.[34]

Weniger glimpflich erging es zur gleichen Zeit dem Aachener Domkapitular Nikolaus Jansen und dem Pfarr-Rektor Hermann Stammschröder aus Gelmar bei Münster.[35] Jansen wurde beschuldigt, in einem Schreiben »lügenhafte Nachrichten über die Auswirkung der Luftangriffe auf Aachen in größerem Umfange« sowie staatsfeindliche Predigten eines Bischofs und andere Hetzschreiben verbreitet zu haben; er kam dafür im Dezember 1941 in das Konzentrationslager Dachau, wo er erst im April 1945 befreit wurde. Stammschröder hatte in einer Predigt nach der Beschlagnahme der Abtei Gerleve u. a. geäußert: »Was nützt es uns, wenn unsere Brüder im Felde uns vor dem Bolschewismus schützen, wenn gleichzeitig im eigenen Vaterland Rechtswidrigkeiten vorkommen.« Er war deshalb vom 10. Oktober 1941 bis 10. April 1945 in Dachau. Beide gehören zu den 418 katholischen Geistlichen, die langfristig im Konzentrationslager waren und von denen 110 dort umgekommen oder an den Folgen der Haft gestorben sind[36]; lediglich für Dachau ist bekannt, daß dort 45 evangelische Pfarrer einsaßen, von denen 9 verstarben, 16 vor Kriegsende entlassen und 9 befreit wurden.[37]

Während die Gestapo in ihren Entscheidungen über Geldstrafen und Haft nahezu willkürlich verfahren konnte, war die Rechtsprechung an die Bestimmungen des Strafgesetzbuches und sie verschärfender Sondergesetze gebunden. Anders als bei seiner Verhaftung durch die Gestapo konnte ein Geistlicher, der in einem Strafverfahren angeklagt wurde, die Hoffnung haben, sich mit Hilfe eines Verteidigers zu rechtfertigen.

Das älteste Sondergesetz, das gegen die Kirchen eingesetzt wurde, stammte noch aus der Zeit des Kulturkampfes; es war der 1871 bzw. 1876 in das Strafgesetzbuch eingeführte § 130a, der sogenannte Kanzelparagraph, nach dem »ein Geistlicher oder anderer Religionsdiener, welcher in Ausübung oder in Veranlassung der Ausübung seines Berufs öffentlich vor einer Menschenmenge oder welcher in einer Kirche oder an einem anderen zu religiösen Versammlungen bestimmten Ort vor mehreren Angelegenheiten des Staates in einer den öffentlichen Frieden gefährdenden Weise zum Gegenstand einer Verkündigung oder Erörterung machte, mit Gefängnis oder Festungshaft bis zu zwei Jahren« bestraft wurde; die gleiche Strafe sollte denjenigen treffen, der Schriftstücke ausgab oder verbreitete, in welchen Angelegenheiten des Staates in einer den öffentlichen Frieden gefährdenden Weise zum Gegenstand einer Verkündigung oder Erörterung gemacht sind.[38]

Das bekannteste Beispiel für ein nach dem Kanzelparagraphen durchgeführtes Strafverfahren ist der Prozeß gegen Pfarrer Martin Niemöller, der 1937 vom Sondergericht Berlin wegen Kanzelmißbrauchs zu einer durch die Untersuchungshaft als verbüßt geltenden siebenmonatigen Freiheitsstrafe verurteilt wurde, ein Strafmaß, das der Gestapo nicht ausreichend schien, weshalb sie ihn anschließend bis Kriegsende in Schutzhaft nahm. Auch andere Urteile aufgrund des § 130a fielen in der Vorkriegszeit milde aus, in manchen Fällen lehnten sogar Sondergerichte die Eröffnung von Verfahren gegen Angeschuldigte ab. Das Reichsgericht bestätigte 1935 die Bestrafung eines katholischen Pfarrers, der in einer Predigt gesagt hatte, die katholische Kirche werde in Deutschland schlimmer verfolgt als in Rußland, mit einer Geldstrafe von 100 Reichsmark. Nicht selten wurden auch anhängige Verfahren eingestellt oder endeten mit einem Freispruch.[39]

Als Sondergesetz zur Festigung der nationalsozialistischen Herrschaft war bereits am 21. 3. 1933 eine Verordnung des Reichspräsidenten zur Abwehr heimtückischer Angriffe gegen die Regierung der nationalen Erhebung ergangen. Darin wurde mit Gefängnis bis zu zwei Jahren und bei schwerem Schaden mit Zuchthaus bedroht, wer »vorsätzlich eine unwahre oder gröblich entstellte Behauptung tatsächlicher Art aufstellt oder verbreitet, die geeignet ist, das Wohl des Reiches ... oder das Ansehen der Reichsregierung ... oder der hinter ihr stehenden Partei oder Verbände schwer zu schädigen«.[40] Danach wurden 1934 drei mecklenburgische Pfarrer zu drei bis sechs Monaten Gefängnis verurteilt, weil sie in einem Rundschreiben sich gegen die Förderung der deutschen Christen durch die NSDAP und gegen polizeiliche Maßnahmen gegen Bekenntnispfarrer gewandt hatten. Andererseits wurde Pater Spiecker freigesprochen, der 1934 in einer Predigt Hitler und Christus als falschen und wahren Führer gegenübergestellt hatte.

Die Verordnung von 1933 wurde am 12. Dezember 1934 durch das Gesetz zur Abwehr heimtückischer Angriffe ersetzt.[41] Es stimmte mit der Verordnung überein, enthielt aber zusätzlich noch eine Strafandrohung für denjenigen, der »öffentlich gehässige, hetzerische oder von niedriger Gesinnung zeugende Äußerungen über leitende Persönlichkeiten des Staates und der NSDAP, über ihre Verordnungen oder die von ihnen geschaffenen Einrichtungen macht, die geeignet sind, das Vertrauen des Volkes zur politischen Führung zu untergraben«; das sollte auch für nicht-öffentliche Äußerungen gelten, wenn sie in die Öffentlichkeit gedrungen waren. Danach erhielt ein Pfarrer, der im Religionsunterricht kritisch den Westwall mit der Maginot-Linie verglichen und die deutschen Verlustmeldungen bezweifelt hatte, 1940 eine Strafe von 5 Monaten Gefängnis. Die Kritik an Maßnahmen gegen Religionsunterricht und gegen die Schließung konfessioneller Kindergärten trug einem Dekan eine Geldstrafe von 120 Reichsmark ein.[42] Nicht selten wurde wegen Heimtükke und Kanzelmißbrauch gleichzeitig angeklagt. Auch in diesen Fällen verzeichnen die Berichte des Sicherheitsdienstes und der Geheimen Staatspolizei viele Einstellungen und Freisprüche, denen ein auf zwei Jahre und acht Monate Gefängnis lautendes Urteil gegen einen Jesuitenpater, der einen offenen Brief an Goebbels verbreitet hatte, gegenüberzustellen ist.

Der Kriegsausbruch 1939 brachte eine weitere Verschärfung des politischen Strafrechts, von der auch Geistliche betroffen sein konnten. Wegen Feindbegünstigung wurde nun nach § 91b StGB verfolgt, »wer während eines Krieges unternimmt, der feindlichen Macht Vorschub zu leisten oder der Kriegsmacht des Reiches einen Nachteil zuzufügen.« Damit wurde das Todesurteil des Volksgerichtshofes gegen den katholischen Priester Dr. Max-Josef Metzger begründet, der seine Tätigkeit in der Una-Sancta-Bewegung benutzt hatte, dem schwedischen Erzbischof Eidem einen Friedensplan zu übermitteln.[43]

Den Straftatbestand der Zersetzung der Wehrmacht führte die Kriegssonderstrafrechtsverordnung vom 17. August 1938 in § 5 ein, nach dem mit dem Tod zu bestrafen war, wer »öffentlich den Willen des deutschen oder verbündeten Volkes zur wehrhaften Selbstbehauptung zu lähmen oder zu zersetzen sucht«. Was der Volksgerichtshof darunter verstand, belegt das Todesurteil vom 23. Juli 1943 gegen die drei Lübecker katholischen Geistlichen Prassek, Lange und Müller, die gemeinsam mit dem ebenfalls zum Tode verurteilten evangelischen Geistlichen Stellbrink beschuldig wurden, sich »zum Kampf gegen den nationalsozialistischen Staat zusammengetan zu haben«. Darin werden als Beispiele für die strafbaren Handlungen u. a. aufgeführt:

- die Weitergabe einer Äußerung Kardinalstaatssekretärs Pacelli, daß Hitler ein Verhandlungspartner sei, der hintenherum anders rede als ins Gesicht und deshalb Mißtrauen verdiene;
- die Bezeichnung Himmlers als »Reichsheini, der Verbrecher«, der an Massenerschießungen im Generalgouvernement teilgenommen habe;
- Äußerungen über die ungerechte Behandlung der zur Arbeit im Reich eingesetzten Polen und die Mißhandlung von Polinnen, die sich geweigert hätten, an Orgien und Trinkgelagen teilzunehmen;
- Behauptungen über Meutereien bei einer SS-Einheit, weil ihr kein Pfarrer zugeteilt worden sei;
- Äußerungen, daß die Soldaten wissen müßten, schwer verwundete Kameraden, die nicht mehr produktiv seinen, würden in den Lazaretten getötet;
- Verbreitung einer Rede des Erzbischofs von Freiburg und eines Flugblattes über die Ermordung katholischer Geistlicher in Polen.[44]

Metzger und die drei Lübecker Kapläne gehören zu den insgesamt 18 katholischen Geistlichen und Ordensleuten, darunter Delp und Wehrle, die in Verbindung mit den Prozessen nach dem 20. Juli 1944 der Mordjustiz Freislers zum Opfer fielen; fünf weitere Todesurteile verhängten das Reichskriegsgericht und das Kriegsgericht in Berlin in vergleichbaren Fällen.[45] Ein fast 70jähriger ehemaliger evangelischer Pfarrer kam 1944 beim Volksgerichtshof mit 5 Jahren Gefängnis davon, weil er u. a. auf einer offenen Postkarte gehässige Bemerkungen über Einrichtungen und Maßnahmen des Staates gemacht hatte.[46]

Zahlreicher als die Verurteilungen wegen politischer Äußerungen waren die Fälle, in denen die Verordnung zur Ergänzung der Strafvorschriften zum Schutz der Wehrkraft des deutschen Volkes vom 25. 9. 1939 auf Geistliche angewandt wurde. Darin wurde mit Gefängnis- oder Zuchthausstrafe bedroht, »wer mit einem Kriegsgefangenen in einer Weise Umgang pflegt, die das gesunde Volksempfinden gröblich verletzt«. Hier reichten die Strafmaße von zwei Monaten Gefängnis und drei Monaten anschließender Schutzhaft für einen evangelischen Pfarrer in Hannover, der zwei Franzosen Deutschunterricht erteilt hatte, und von zwei und drei Monaten für Limburger Pallotiner, die ihre Fremdarbeiter zu freundlich behandelt hatten, bis zur Geldstrafe von 200 Mark, mit der ein katholischer Pfarrer wegen einer bloßen Unterhaltung mit französischen Kriegsgefangenen belegt wurde.[47]

Schließlich gab es noch eine Reihe von Bestimmungen des Strafgesetzbuches und von strafrechtlichen Nebengesetzen, die ebenfalls benutzt wurden, gegen Geistliche vorzugehen. Vor allem die Strafbestimmungen des Sammlungsgesetzes vom 5. 11. 1934, das verhindern sollte, daß »der Opfersinn der Bevölkerung für Zwecke in Anspruch genommen wird, deren Erfüllung nicht im

Interesse des nationalsozialistischen Staates liegt«, führten immer wieder zu Strafverfahren.

Eine zusammenfassende Wertung der ergangenen Urteile ergibt jedoch, daß die Rechtsprechung nur zum Teil die antikirchlichen und fiskalischen Interessen des nationalsozialistischen Staates unterstützt und von der Möglichkeit der Verhängung einer Gefängnisstrafe bis zu sechs Monaten Gebrauch gemacht hat, während andere Gerichte es ablehnten, die Unterdrückung insbesondere der Bekennenden Kirche durch Einsatz des Sammlungsgesetzes zu unterstützen.[48] Relativ häufig wurden dagegen Geistliche und Religionslehrer wegen Körperverletzung verurteilt, denen im Unterricht gegen renitente Hitlerjungen die Hand ausgerutscht war. Einer dieser Pfarrer wurde in einem späteren Verfahren wegen groben Unfugs zur Anzeige gebracht, weil er nach einer Konfirmationsfeier den Grünschmuck aus der Kirche vor dem Haus des nationalsozialistischen Lehrers mit verunglimpfenden Bemerkungen abgeladen hatte.[49]

Die angeführten Beispiele machen deutlich, welch differenziertes System von Maßnahmen dem nationalsozialistischen Staat zur Verfügung stand, wenn es darum ging, Kirchen und Kirchenvolk einzuschüchtern und zu unterdrücken. Das hat in Rechnung zu stellen, wer das Verhalten der Kirchen gegenüber dem Nationalsozialismus gerecht beurteilen will. Nur wenn man berücksichtigt, daß schon geringfügige Äußerungen der Opposition, die durch ein umfassendes Überwachungssystem nicht verborgen bleiben konnten, schwere Sanktionen zur Folge haben konnten, läßt sich ermessen, welchen Mut diejenigen aufbrachten, die trotzdem bereit waren, sich nicht dem Regime anzupassen, sondern sich mit ihm auseinanderzusetzen. Die verschiedenartigen Formen dieser Auseinandersetzung, die von der Nicht-Anpassung bis zur bewußten politischen Opposition reichten[50], sind unter den Bedingungen zu würdigen, die die Organe von Staat und Partei zur Stabilisierung ihrer Herrschaft geschaffen hatten. Die insbesondere durch die Berichte des SD nachgewiesene »Existenz einer religiös fundierten Volksopposition«[51] ist dann erstaunlicher als die wenigen, oft strapazierten Beispiele für Äußerungen, die leichtfertig unterstellen wollen, »Nationalsozialisten und Christen seien Hand in Hand gegangen«.

[1] Als eines der jüngsten Beispiele unsachlicher Polemik ist zu nennen: Georg Denzler, Volker Fabricius: Die Kirchen im Dritten Reich. Christen und Nazis Hand in Hand? 2 Bde, Fischer-Taschenbücher 1984. Auf einer breiten Quellenbasis bietet demgegenüber Ulrich von Hehl: Priester unter Hitlers Terror. Eine biographische und statistische Erhebung, Mainz 1984, eine quantifizierende Analyse der Verfolgung katholischer Priester und Ordensleute; sein Werk lag mir noch nicht vor, als dieser Vortrag entstand.

[2] Vgl. Karl Dietrich Bracher, Wolfgang Sauer, Gerhard Schulz: Die nationalsozialistische Machtergreifung. Köln 1960, S. 67 f., 288 ff.

[3] Beispiele sind in den Akten des Reichssicherheitshauptamtes im Bundesarchiv überliefert, z. B. über Lic. Thimme, Marburg, und das wegen seiner »konfessionellen Haltung« kritisierte Buch von Wilhelm Stapel über »Die Kirche Christi und der Staat Hitlers« (R 58/970, 968).

[4] Brief Kleppers an Rudolf Pechel vom 17. März 1939 (Bundesarchiv, Nachlaß Pechel).

[5] Willi A. Boelcke (Hrsg.): Wollt Ihr den totalen Krieg? Die geheimen Goebbels-Konferenzen 1939–1943. München 1969, S. 167 f. Die Zahlen bei Kurt Koszyk: Deutsche Presse 1914–1945. Berlin 1972, S. 399 ff.

[6] Fritz Sänger: Politik der Täuschungen. Mißbrauch der Presse im Dritten Reich. Weisungen, Informationen, Notizen 1933–1939. Wien 1975, S. 163, 202 f.

[7] W. A. Boelcke, S. 160, 283, 425.

[8] Vgl. Dietrich Aigner: Die Indizierung »schädlichen und unerwünschten Schrifttums« im Dritten Reich. In: Archiv für Geschichte des Buchwesens XI, 1970, S. 994. Ein zusammenfassender Bericht über die »Zersetzung der nationalsozialistischen Grundwerte im deutschsprachigen Schrifttum seit 1933« des SD der SS vom Juni 1936 enthielt zahlreiche Beispiele beanstandeter kirchlicher Veröffentlichungen Berichte des SD und der Gestapo (vgl. unten Anm. 15, S. 195–223.).

[9] Vgl. Reinhart Bollmus: Das Amt Rosenberg und seine Gegner. Zum Machtkampf im nationalsozialistischen Herrschaftssystem. Stuttgart 1970, S. 113–119.

[10] Vgl. Hans Günter Hockerts: Die Sittlichkeitsprozesse gegen katholische Ordensangehörige und Priester 1936/37. Mainz 1971.

[11] Dokumente aus dem Kampf der katholischen Kirche im Bistum Berlin gegen den Nationalsozialismus. Berlin 1948, S. 23.

[12] Zahlreiche Proteste des päpstlichen Nuntius gegen einzelne derartige Artikel sind in den Akten des Auswärtigen Amtes (Politisches Archiv des Auswärtigen Amtes, Bonn) überliefert. Beispiele aus dem »Schwarzen Korps« im Facsimile Querschnitt, hrsg. von Helmut Heiber und Hildegard von Kotze, München, 1968, S. 80, 89 ff., für den »Stürmer« und dessen Schaukästen bei Helmut Witetschek: Die kirchliche Lage in Bayern nach den Regierungspräsidentenberichten 1933–1943. II. Mainz 1967, S. 26, 60, 69, 110, 113, 129 u. ö.

[13] Vgl. für Preußen Robert Thevoz, Hans Branig, Cecile Lowenthal-Hensel: Pommern 1934/35 im Spiegel von Gestapo-Lageberichten und Sachakten. 2 Bde. Köln und Berlin 1974, für Bayern die in sieben Bänden von Helmut Witetschek, Walter Ziegler, Helmut Prantl und Klaus Wittstadt veröffentlichten Regierungspräsidentenberichte: Die kirchliche Lage in Bayern, Mainz 1966 bis 1981; die folgenden Beispiele bei R. Thevoz II, S. 74 f., H. Witetschek II, (Ober- und Mittelfranken) S. 280 f.

[14] Martin Broszat, Elke Fröhlich, Falk Wiesemann: Bayern in der NS-Zeit. Soziale Lage und politisches Verhalten der Bevölkerung im Spiegel vertraulicher Berichte. München 1977, S. 97, weitere Beispiele ebd.

[15] Sämtliche überlieferten SD-Berichte ab 1938 sind unkommentiert veröffentlicht als Meldungen aus dem Reich. Die geheimen Lageberichte des Sicherheitsdienstes der SS 1938–1945. Hrsg. von Heinz Boberach. 17 Bde. Herrsching 1984. Eine kommentierte Edition aller Berichte über die Kirchen seit 1934 in: Berichte des SD und der Gestapo über Kirchen und Kirchenvolk in Deutschland 1934–1944, bearbeitet von Heinz Boberach. Mainz 1971.

[16] Berichte des Leiters der Außenstelle Kreuznach, Berichte des SD und der Gestapo, S. 900 f.

[17] Ebd. S. 902 ff., 909 ff., 921 f., 917.

[18] Vgl. Meldungen aus dem Reich. I, S. 22 ff., Marlis G. Steinert: Hitlers Krieg und die Deutschen. Stimmung und Haltung der deutschen Bevölkerung im Zweiten Weltkrieg. Düsseldorf. Wien 1970, S. 17 ff.

[19] Z. B. Meldungen aus dem Reich, S. 2331, 2517, 3453, 3644, 3914, 4017, 2126.

[20] Berichte des SD und der Gestapo, S. 719.

[21] Ebd. S. 785–809 u. ö.

[22] Bevölkerung und Konfessionen zur Frage der religiösen Zielsetzung der nationalsozialistischen Weltanschauung, ebd. S. 753.

[23] Vgl. M. Broszat, E. Fröhlich (Anm. 14), S. 592 ff.

[24] Vermerk über die Teilnahme von zwei Beamten der Staatspolizeistelle Aachen, Berichte des SD und der Gestapo, S. 934 f.

[25] H. Witetschek II, S. 389, 407, 427, dort auch weitere Beispiele, vgl. ferner U. v. Hehl (Anm. 1), S. LII, LXXXII f.

[26] Der unveröffentlichte Erlaß über das Sicherungsgeld im Bundesarchiv, R 58/243, Beispiele für die Anwendung, darunter die hier angeführten, Berichte des SD und der Gestapo, S. 559, 562, 566 f., 593, 701, 718, 762, 767, 785, 804, 822, 827, 834, 839, 849, 600, 624, 626, 634, 648, 652, 655, 664, 666, 675, 680, 684, 693, 695, bei H. Witetschek II, S. 364, 389, 391, 403, 416, 421, 426, 428, 430, 433, 435 ff.

[27] Aus Akten der Reichskanzlei bei Eberhard Röhm, Jörg Thierfelder: Evangelische Kirche zwischen Kreuz und Hakenkreuz. Bilder und Texte einer Ausstellung. Stuttgart 1981. S. 98 ff.

[28] Der bekannteste Fall ist die Verbannung des Rottenburger Bischofs Sproll bis Kriegsende aus seiner Diözese, weitere Beispiele bei H. Witetschek II, S. 103, 168, 175, 178, 186, 199, 233 u. ö.

[29] Vermerk der Beamten der Stapostelle Aachen (Anm. 24).

[30] H. Witetschek II, S. 306.

[31] Zahlenangaben in den Tabellen bei U. v. Hehl, S. LXXIX f., Beispiele bei H. Witetschek II, S. 70, 259, 266, 272, 280 u. ö. für evangelische, S. 200, 274, 278, 282, 285 u. ö. für katholische Geistliche.

[32] So unveröffentlichter Erlaß des Reichsministers des Innern vom 25. 1. 1938, der frühere Vorschriften ersetzte (Berichte des SD und der Gestapo, S. 937. Die Zahlen S. 91, 277).

[33] Ebd. S. 559, U. v. Hehl, Sp. 1095.

[34] U. v. Hehl., Sp. 463.

[35] Ebd. Sp. 12, 882 und Berichte des SD und der Gestapo, S. 561, 564.

[36] U. v. Hehl, S. IL, Listen Sp. 1609 ff., 1622 f.

[37] Eugen Weiler: Die Geistlichen in Dachau. Mödling o. J., S. 45, die Fürbittenliste von 1939 nennt davon neben Niemöller noch zwei.

[38] Klaus J. Volkmann: Die Rechtsprechung staatlicher Gerichte in Kirchensachen 1933–1945. Mainz 1978, S. 58 f., zum folgenden S. 60 ff.

[39] Vgl. auch den SD-Bericht über einen »Grenzfall bei der Anwendung des sogenannten Kanzelparagraphen« vom 19. April 1940 (Berichte des SD und der Gestapo, S. 418 f.).

[40] RGBl. I, S. 135, Zur Anwendung K. J. Volkmann, S. 56 ff. mit den folgenden Beispielen.

[41] RGBl. I, S. 1269.

[42] Diese und weitere Beispiele Berichte des SD und der Gestapo, S. 388, 552, 564, 570, 572, 602, 609, 613, 618, 623, 627, 648, 651 u. ö.

[43] Benedicta Maria Kempner: Priester vor Hitlers Tribunalen. München 1966, S. 273–289.

[44] Ebd. S. 248–269.

[45] Nachweis bei U. v. Hehl über Liste Sp. 1629.

[46] Berichte des SD und der Gestapo, S. 887, 889.

[47] Ebd. S. 890, 822.

[48] K. J. Volkmann, S. 78 ff.

[49] H. Witetschek II, S. 281.

[50] Vgl. die Unterscheidung von vier »Stufen des Widerstands« bei Klaus Gotto, Hans Günter Hockerts, Konrad Repgen: Nationalsozialistische Herausforderung und kirchliche Antwort, in Klaus Gotto, Konrad Repgen: Kirche, Katholiken und Nationalsozialismus. Mainz 1980, S. 103 f.

[51] D. Albrecht im Vorwort zu H. Witetschek I, der Begriff erstmals bei Bernhard Vollmer: Volksopposition im Polizeistaat. Gestapo- und Regierungsberichte 1934–1936, Stuttgart 1957, mit zahlreichen Beispielen für die Kirchen im Regierungsbezirk Aachen.

Waltraud Herbstrith

Edith Stein – Gestalt des Widerstands im Nationalsozialismus

Leben – Wirken

Edith Stein, jüdische Philosphin, christliche Pädagogin, Ordensfrau und Märtyrin im Holocaust Auschwitz, gehört zu den großen Gestalten des geistigen Widerstands im nationalsozialistischen Deutschland. Dieser ihr Widerstand geschah nicht mit Waffen, sondern aus der Kraft des Betens, des widerstehenden, lauteren Herzens, des wahrhaftigen Zeugnisgebens. Die liberale Studentin hatte seit 1911 an den Universitäten Breslau und Göttingen studiert. Sie trat einer sozialistischen Frauengruppe bei, in der sie sich für die Gleichberechtigung der Frau einsetzte. Sie machte rasch Karriere bei dem Begründer der Phänomenologie Edmund Husserl, dessen Assistentin sie in Freiburg im Breisgau von 1916–1918 war. Die Phänomenologie führte Edith Stein gleich vielen Schülern Husserls und Max Schelers durch ihre Betonung der Vorurteilslosigkeit im Denken, durch das Ablegen traditioneller Scheuklappen sowie durch ein neues Wertgefühl, zum Christentum. Für die begabte Wissenschaftlerin war es zunächst eine schwere Erkenntnis, daß sie, weniger von ihren Studienkollegen als von Husserl selbst, in ihrer Selbständigkeit als Frau und Wissenschaftlerin nicht ernst genommen wurde. Trotz Husserls Freundschaft mit Edith Stein erwartete er von ihr eher wissenschaftliche Hilfsdienste als Partnerschaft. Noch 1933 schrieb Husserl dem Philosophen Daniel Feuling OSB: »Berichtigen muß ich auch was meine hochbegabte Schülerin und Freundin, Fräulein Dr. Edith Stein, über Dr. Fink sagt. Sie selbst war zwar auch 1½ Jahre lang meine Assistentin, aber damals noch Anfängerin. Nie habe ich mich ihr gegenüber in diesem Maße ausgesprochen, ihr so systematische Erziehungsarbeit angedeihen lassen als Dr. Fink«.[1] Dies war der Grund, warum Edith Stein 1918 von Husserl wegging und privat in Breslau Vorlesungen hielt. Ihre Bitte um Habilitation in Göttingen fand kein Gehör. Darauf machte sie im Winter 1919 eine Eingabe an das preußische Kultusministerium zwecks Habilitation von Frauen. Dem Kultusminister schrieb sie, Bezug nehmend auf die »ausnahmsweise« Habilitation einer Mathematikerin, »es dürfte daraus kein Präzedenzfall gemacht werden. Da dieses Verfahren meines Wissens durch die Habilitationsordnung nicht gerechtfertigt ist und außerdem gegen die Reichsverfassung verstößt, erlaube ich mir, Euer Excellenz darauf aufmerksam zu machen, in der Hoffnung, daß eine prinzipielle Klärung der Frage erfolgen wird«.[2]

Darum ging es Edith Stein während ihres ganzen Lebens: um »prinzipielle Klärung« wichtiger Lebensfragen. Schon in ihrer atheistischen Phase war sie ungehalten über Mitstudenten, die die Universität nur benützten, um sich eine »Futterkrippe« zu schaffen. Edith Stein suchte nicht nur nach beruflicher Ausbildung, nach Karriere, immer ging es ihr um die Wahrheitsfrage: Welcher Sinn steckt in oder hinter meinem Leben? Wie können Menschen zu einer guten, sinnvollen Welt beitragen? Als Christin – Edith Stein konvertierte 1922 zum Katholizismus – mußte sich Edith Stein mit der katholischen Philosophie auseinandersetzen. Auf Anregung des Religionsphilosophen Erich Przywara übersetzte sie John Henry Newmans Briefe und Thomas von Aquin. Dies rief in der Philosophin eine Auseinandersetzung hervor zwischen ihrer phänomenologischen Prägung und der katholischen Gedankenwelt. Auch hier ging es Edith Stein wieder um das Ganze, nicht nur um eine neuscholastische Strömung. Es ging ihr um Plato *und* Aristoteles, um Augustinus *und* Thomas. Neben ihrer Lehrtätigkeit am Lyzeum und an der Lehrerinnenbildungsanstalt der Dominikanerinnen in Speyer knüpfte Edith Stein Kontakte zur Neuscholastik, vertrat auf einem Kongreß in Juvisy bei Paris die Husserlsche Lehre in Deutsch und fließendem Französisch und galt unter Fachleuten wie Bernhard Rosenmöller, Jacques Maritain, Daniel Feuling u. a. als eine ernstzunehmende Philosphin. In der Festschrift zu Husserls 70. Geburstag 1930 kommt Edith Steins Auseinandersetzung zwischen der Philosophie der Gegenwart und der Vergangenheit stark zum Ausdruck.

Seit 1927 wurde Edith Stein aufgefordert, im In- und Ausland Vorträge zu halten über die Integration der katholischen Frau in die moderne Berufswelt. Sie erhielt Einladungen vom katholischen Akademikerverband, vom Verband deutscher katholischer Lehrerinnen und vom katholischen Frauenbund. Wenn wir heute Edith Steins Ausführungen lesen, sehen wir neben zeitgebundenem Denken viele Gedanken, in denen sie ihrer Zeit voraus war. Sie versuchte, der berufstätigen Frau ein Gefühl der Selbständigkeit zu vermitteln. Sie war der Auffassung, daß eine gesunde Frau zu jedem Beruf fähig ist und unnötige Rollenfixierungen zwischen den Geschlechtern fallengelassen werden sollten. Auch im kirchlichen Bereich war sie gegen eine Diskriminierung der Frau oder einseitige Rollenfestlegung. Sie stützte sich in ihren Ausführungen besonders auf die Dissertation der Schweizer Kirchenrechtlerin Vérène Hilde Borsinger. Mit ihr war sie der Auffassung, daß die geringe Einschätzung der Frau im Kirchenrecht soziologisch-kulturelle Gründe hat, sich aber kaum auf die Intentionen der Schrift berufen kann.

Edith Stein gehörte zu den Weitsichtigen, die schon Jahre vor Adolf Hitlers Machtergreifung eine Juden- und Kirchenverfolgung in Deutschland voraussahen. Baronin Uta von Bodman, eine Kollegin in Speyer, berichtet, daß Edith Stein nicht glücklich war über den patriotischen Jubel der Deutschen bei der Übernahme des Rheinlandes 1930. Sie sagte: »Zuerst kommt in Deutschland eine Judenverfolgung, dann wird auch die Kirche verfolgt werden«.[3] 1930 hatte Edith Stein Aussichten, in Hamburg, Breslau und Freiburg eine Professur an der Universität zu erhalten. Jetzt aber fiel weniger ihr Frausein ins Gewicht als ihre Zugehörigkeit zu einer Rasse, die im nationalsozialistisch geführten Deutschland bald keine Existenzberechtigung mehr haben sollte. 1932 übernahm sie eine Dozentur am Deutschen Institut für wissenschaftliche Pädagogik in Münster/Westf. Ein Jahr nur sollte ihr eine fruchtbare Tätigkeit unter den Studentinnen beschieden sein. Gleich vielen Juden verlor sie 1933 ihre Stellung. An den Bundeskurat des Heliand, Studienrat Kifinger, schrieb sie auf seine Einladung zu einem Vortrag im Mai 1933: »Vor einigen Monaten noch hätte ich Ihrer Bitte ohne weiteres entsprochen. Heute muß ich – wie nun bei jeder solchen Gelegenheit – die Gegenfrage stellen: Wissen Sie, daß ich Konvertitin vom Judentum bin? Und wagen Sie es, sich der herrschenden Strömung entgegenzustellen, indem Sie einer Jüdin einen solchen Einfluß auf deutsche Jugend einräumen? Wenn Sie danach Ihre Bitte wiederholen, will ich überlegen, ob ich noch bis August eine solche Verpflichtung übernehmen kann. Ich bin als

Dozentin ›zur Disposition gestellt‹, rechne aber nicht mehr mit einer Rückkehr an das Institut.«[4]

Einen Vorgeschmack des kommenden Unheils beschreibt Edith Stein in ihren Erinnerungen für Sr. Teresia Renata Posselt, ihre Novizenmeisterin und Priorin im Kölner Karmel: »An einem Abend kam ich von einer Veranstaltung des katholischen Akademikerverbandes spät heim. Ich weiß nicht, ob ich den Hausschlüssel vergessen hatte, oder ob von innen der Schlüssel steckte. Jedenfalls konnte ich nicht ins Haus. Ich suchte durch Schellen und Klatschen jemanden ans Fenster zu locken, aber vergeblich. Die Studentinnen, die in den Zimmern nach der Straße hin wohnten, waren schon in den Ferien. Ein vorübergehender Herr fragte, ob er mir behilflich sein könnte. Als ich mich zu ihm wandte, machte er eine tiefe Verbeugung und sagte: ›Frau Dr. Stein, ich erkenne Sie erst jetzt‹. Es war ein katholischer Lehrer, der an einer Arbeitsgemeinschaft des Instituts teilnahm. Er entschuldigte sich für einen Augenblick, um seiner Frau Bescheid zu sagen, die schon mit einer anderen Dame vorausgegangen war. Er sprach ein paar Worte mit ihr und kehrte dann zu mir zurück. ›Meine Frau ladet sie herzlich ein, bei uns zu übernachten.‹ Das war eine gute Lösung. Ich nahm dankend an. Sie führten mich in ein schlichtes Münsterer Bürgerhaus. Wir nahmen im Wohnzimmer Platz. Die freundliche Hausfrau stellte eine Schale mit Obst auf den Tisch und entfernte sich dann, um ein Zimmer für mich zu richten. Der Mann begann ein Gespräch und erzählte, was amerikanische Zeitungen von Greueltaten berichteten, die an Juden verübt worden seien. Es waren unverbürgte Nachrichten, ich will sie nicht wiederholen. Es kommt mir nur auf den Eindruck an, den ich an diesem Abend empfing. Ich hatte ja

schon vorher von scharfen Maßnahmen gegen die Juden gehört. Aber jetzt ging mir auf einmal ein Licht auf, daß Gott wieder einmal schwer seine Hand auf sein Volk gelegt habe und daß das Schicksal dieses Volkes auch meines war. Ich ließ den Mann, der mir gegenüber saß, nicht merken, was in mir vorging. Offenbar wußte er nichts von meiner Abstammung. Ich habe meist in solchen Fällen die entsprechende Aufklärung gegeben. Diesmal tat ich es nicht. Es wäre mir wie eine Verletzung des Gastrechtes erschienen, wenn ich jetzt durch eine solche Mitteilung seine Nachtruhe gestört hätte.«[5]
Diese sachliche Analyse zeigt den Zwiespalt zwischen einem geordneten, moralisch und religiös hochstehenden Deutschland und der lauernden Gewalt des Terrorismus des Antisemitismus. Die Information des Lehrers war für Edith Stein nicht ganz neu. Mit Erschrekken hatte sie schon unter den Studentinnen in Münster Anfälle nationalsozialistischer Arroganz erlebt. Dies mußte Edith Stein wie die meisten ihrer assimilierten jüdischen Freunde tief treffen. Hatte sie doch von ihrer preußischen Prägung her ein ausgesprochenes Gefühl für Verantwortlichkeit und Dankbarkeit gegenüber dem Staat. In ihrer Sorge wandte sich Edith Stein an Papst Pius XI. Sie erbat von ihm eine Privataudienz, um mit ihm über die Abfassung einer Enzyklika zum Schutz der Juden zu sprechen. Mit Befremden bemerkt man, wie wenig in Rom zu dieser Zeit ein Gespür dafür vorhanden war, daß gewisse Dinge keinen Aufschub duldeten. Der Papst hatte 1933 ein Heiliges Jahr angekündigt und stand, laut den Forschungen J. H. Notas, unter Termindruck. Edith Stein wurde angeboten, an einer kleinen Audienz teilzunehmen; dies lehnte sie ab. Als sie erkannte, daß ihr in Deutschland jede öffentliche Tätigkeit entzogen war, glaubte sie, dem innersten Zug

ihrer religiösen Erfahrung folgen zu müssen. Im Herbst 1933 trat sie zum Entsetzen ihrer jüdischen Familie in den Karmel in Köln ein, ein Konvent, der nach der Reform Teresas von Avila lebte. Ihre Familie empfand diesen Schritt als Treulosigkeit in äußerster Bedrohung. Edith Stein sah es anders: durch Gebet und Opfer wollte sie sich für ihr jüdisches Volk und für die Mörder des Nationalsozialismus einsetzen. Dieser geistige, existentielle Widerstand gegen die nationalsozialistische Verblendung wurde äußerlich nicht honoriert. Die einen sahen Edith Steins Schritt ins Kloster als Flucht an, um unterzutauchen, andere wie Peter Wust und Gerda Krabble als heroische christliche Tat, ihre engsten Verwandten als Entfremdung gegenüber dem jüdischen Schicksal. Edith Stein war einsam mit ihrer Entscheidung. Auch im Karmel war sie nicht sicher. Nicht nur durch den Druck von außen (Wahl für Hitler 1938, Reichskristallnacht November 1938), sondern auch von innen: durch ängstliche Mitschwestern oder taktlose Bemerkungen über ihr Judesein. Bei der durch die Nationalsozialisten überwachten Wahl für Hitler äußerten Schwestern des Karmel, es sei gleichgültig, wen man wähle, die Partei würde doch alle Wahlzettel gleichschalten. Es fiel auf, daß die sonst so sanfte und nachgiebige Edith Stein unnachgiebig blieb und die Auffassung vertrat, aus Gewissensgründen dürfe man Hitler nicht wählen, gleichgültig, welche Folgen für das Kloser erwüchsen. Als in der Kristallnacht die Synagogen in Deutschland brannten und die Juden mit Gummiknüppeln aus ihren Häusern getrieben wurden, willigte Edith Stein ein, nach Holland auszuweichen, obwohl sie lieber nach Palästina gegangen wäre. Das englische Konsulat gewährte jedoch deutschen Juden keine Einreise mehr. 1939 erlebte Edith Stein im Karmel Echt den Ausbruch des 2. Weltkriegs, 1940 besetzten die Nationalsozialisten Holland. Dadurch war Edith Stein erneut der Bedrohung ausgesetzt. In Vorahnung ihres Todes verfaßte sie schon im Sommer 1939 ihr Testament und bot sich Gott als Sühnopfer an, um den Frieden in der Welt wieder herzustellen.

Das Wort Sühne ist uns heute fremd. Wird es gebraucht, wirkt es aufdringlich und wir werden mißtrauisch. Von der äußeren Effizienz her, war Edith Steins Aufschrei, ihre verzweifelte Bitte an Gott, er möge ihr Leben zur Rettung anderer annehmen, vergeblich. War er wirklich vergeblich? War das Scheitern der Widerstandskämpfer des 20. Juli gegen Hitler, das Scheitern der Studenten in der »Weißen Rose« wirklich umsonst? Leben wir heute nicht von diesen Menschen, die ihr Leben wie Christus preisgaben, um der Wahrheit zum Siege zu verhelfen? Zu ihnen gehören Namen wie Dietrich Bonhoeffer, Alfred Delp, Sophie Scholl, Max Josef Metzger u. a. Sie lebten und starben fast gleichzeitig mit Edith Stein. Am 2. August 1942 wurde Edith Stein, nach dem Protest der holländischen Bischöfe gegen die Judenverfolgung, zusammen mit anderen katholischen Juden Hollands in die Vergasung geschickt, am 9. August in Auschwitz-Birkenau getötet.

Edith Steins Botschaft

Die Botschaft Edith Steins ist vielschichtig wie ihre Persönlichkeit. Selten finden sich in einem einzigen Leben so viele Stufen, die alle ihre eigene Botschaft haben. Der Charme ihres Lebens war, wie Erich Przywara bemerkt, daß sie sich keiner Schule oder Richtung ganz verschrieb, daß sie offen war auf Entwicklungen hin, daß sie weitergehen konnte. Ihr Leben schlägt den Bogen vom Judentum zur Phase des Atheismus, zur Suche nach Wahrheit auf dem Weg der Philosophie. Sie machte als Atheistin aus psychologischem Interesse für sich allein die 30tägigen Exerzitien des Ignatius von Loyola, sie beschäftige sich mit Kierkegaard und dachte eine Zeitlang daran, gleich ihren Freunden, den Philosophen Adolf Reinach und Hedwig Conrad-Martius, zum protestantischen Glauben zu konvertieren. Da wurde die Lektüre des Lebens der heiligen Teresa von Avila zum auslösenden Punkt, um ihr Leben in eine neue Richtung zu lenken. Edith Stein konvertierte zur katholischen Kirche. Ihre Erfahrung von Transzendenz, von Identität war so stark, daß sie in den Karmel Teresas eintreten wollte. Sie brach ihre Karriere als Phänomenologin ab. Da sie aus Rücksicht auf ihre Familie vorläufig nicht in den Orden eintreten konnte, wollte sie in Zurückgezogenheit die neue Erfahrung verarbeiten. Als Lehrerin in Speyer schätzte sie das klösterliche Milieu und lebte ›wie eine Dominikanerin unter Dominikanerinnen‹.

Edith Steins Botschaft bis zu ihrer Konversion kann so beschrieben werden: eine junge jüdische Frau, die in liberaler Atmosphäre aufwächst, in der jüdische Gebräuche geschätzt, aber nicht existentiell notwendig empfunden werden, sucht im Studium der Psychologie Antwort auf Sinn, die ihr in der experimentellen Art damaliger Methode nicht zuteil wird. Bei der Lektüre der ›Logischen Untersuchungen‹ des bahnbrechenden Meisters der Phänomenologie Edmund Husserl wird Edith Stein innerlich so stark bewegt, daß sie die Universität Breslau verläßt, um bei Husserl in Göttingen zu hören. Von da ab verschreibt sich die Philosophin ganz der Phänomenologie, die ihr Wege zur Wahrheit eröffnet.

Was ist Phänomenologie? Was veranlaßte viele junge Menschen, dieser Richtung zu folgen? Edith Stein schreibt: »Die ›Logischen Untersuchungen‹ hatten vor allem dadurch Eindruck gemacht, daß sie als eine radikale Abkehr vom kritischen Idealismus kantischer und neukantischer Prägung erschienen. Man sah darin eine neue Scholastik, weil der Blick sich vom Subjekt ab- und den Sachen zuwandte. Die Erkenntnis schien wieder ein Empfangen, das von den Dingen sein Gesetz erhielt, nicht wie im Kritizismus ein Bestimmen, das den Dingen sein Gesetz aufnötigte. Alle jungen Phänomenologen waren entschiedene Realisten«.[6] In ihrer Dissertation geht Edith Stein dem Phänomen: »Das Verstehen geistiger Zusammenhänge« nach. »Ich hatte in einem ersten Teil«, schreibt sie, »noch in Anlehnung an einige Andeutungen in Husserls Vorlesungen den Akt der ›Einfühlung‹ als einen besonderen Akt der Erkenntnis untersucht. Von da ab war ich weitergegangen zu etwas, was mir persönlich besonders am Herzen lag, und mich in allen späteren Arbeiten immer wieder beschäftigte: zum Aufbau der menschlichen Person. Im Zusammenhang jener Erstlingsarbeit war diese Untersuchung notwendig, um begreiflich zu machen, wie sich das Verstehen geistiger Zusammenhänge vom einfachen Wahrnehmen seelischer Zustände unterscheidet.«[7] Ihr Freund Roman Ingarden aus Polen sagte über Edith Stein: »Die Frage nach der Klärung der Möglichkeit der gegenseitigen Verständigung zwischen den Menschen hat sie immer am meisten bewegt, also die Frage nach der Möglichkeit der Schaffung einer menschlichen Gemeinschaft, welche nicht nur theoretisch, sondern auch für ihr Leben, in gewisser Weise für sie selbst, sehr nötig war.«[8] Diese Suche nach Gemeinschaft, nach Gliedschaft in einem größeren Ganzen, gab Edith Stein zunächst Verwurzelung in der Gemeinschaft der Phänomenologen um Husserl, zu denen sie guten Kontakt pflegte, dann zur Nation. Aus ihrem verantwortlichen Staatsbewußtsein heraus hatte sie sich 1914 bei Kriegsausbruch im Krankendienst engagiert. Sie suchte nach einer Gemeinschaft, deren Existenz für sie etwas ganz Persönliches und Wesentliches sein sollte.

Schon vor der Zeit ihrer Konversion wurde für Edith Steins Freunde spürbar, daß ihre Botschaft nicht nur gedanklicher Art war, sondern ihre ganze Persönlichkeit erfüllte und ausstrahlte. Professor Hering/Straßburg sagte von ihr: »Ich hatte Gelegenheit, nicht nur ihre philosophische Begabung zu schätzen, sondern auch ihre Charaktereigenschaften, z. B., wie sie die Liebe zur Wahrheit mit der Liebe zum Nächsten zu verbinden wußte«.[9] Professor Ingarden erinnert sich: »Seit dem Jahr 1913, in welchem Edith Stein nach Göttingen kam, und besonders seit 1916 in Freiburg, wo wir uns befreundet haben, kannte ich sie als eine hochbegabte, ernste, verantwortliche Person. Auch später sah ich in Edith Stein immer einen reinen, innerlich reichen und ernsten Menschen, dem man in allem vertrauen durfte. Sie hat sowohl ihren philosophisch-wissenschaftlichen als auch später ihren religiösen Weg voll bewußt gewählt und darin ihr echtes Glück gefunden, obwohl sie im privaten Leben nicht alles das bekam, was sie verdiente. Es steht für mich außer Zweifel, daß sie immer derselbe echte und ernste Mensch geblieben ist, den ich früher in unmittelbarem Verkehr kennengelernt hatte.«[10] Die Botschaft von Edith Steins Speyrer Zeit ist eine dreifache: Begegnung der Phänomenologie mit der Scholastik, Integration der Frau in die Berufswelt, Sorge für die anvertrauten Schülerinnen und die Armen. Ihre Art und Weise, in den Vorträgen zu sprechen, war einfach, durchdacht, anmutig und von hoher Geistesschärfe. So schildern sie ihre Zuhörerinnen und -hörer. Wurde sie gefragt, warum sie so bescheiden auftrete und in einfacher Kleidung, »entgegenete sie lächelnd, sie könne sich keinen Luxus erlauben, da sie viele Verpflichtungen habe. Damit meinte sie die Armen, die sie regelmäßig unterstützte«.[11]

Die Begegnung mit Thomas von Aquin und der Scholastik löste in Edith Stein den Wunsch aus, Moderne und Tradition in ein Gespräch zu bringen. Sie stand hinter der Husserlschen Prämisse: Philosophie ist ›strenge Wissenschaft‹. Sie schreibt: »Es ist dabei nicht an eine Analogie mit irgendeiner anderen Wissenschaft zu denken. Es bedeutet nur, daß Philosophie keine Sache des Gefühls und der Phantasie, der hochfliegenden Schwärmerei oder auch persönlichen Ansicht, sozusagen Geschmacksache ist, sondern eine Sache der ernst und nüchtern forschenden Vernunft. Bei Husserl wie bei Thomas herrscht die Überzeugung, daß ein Logos in allem waltet, was ist, und es unserer Erkenntnis möglich ist, schrittweise etwas und immer wieder etwas von diesem Logos aufzudecken, wenn sie nach dem Grundgesetz strengster intellektueller Ehrlichkeit vorangeht. Über die Grenzen, die diesem Verfahren in der Aufdekkung des Logos gesetzt sind, darüber freilich gehen die Auffassungen beider auseinander«.[12] Den Ansatz der transzendentalen Kritik Husserls kennt Thomas nicht. Im Sinne dieser Kritik gibt es weder eine natürliche noch eine übernatürliche Vernunft, sondern eine ›Vernunft als solche‹. Dieser erscheint der thomistische Zugang zur Realität als ›naiv‹. Edith Stein genügte die Husserlsche Erkenntnis, daß Wahrheit eine Idee ist, die sich in einem unendlichen Prozeß verwirklicht, nicht. Als gläubige Philosophin war sie mit Thomas der Auffassung, daß prozeßhafte Erkenntnis umfangen ist von einer ›göttlichen Erkenntnis‹, die ›unendliche, ruhende Fülle‹ ist. Sie spricht von der materialen und formalen Abhängigkeit der Philosophie vom Glauben. Die Glaubenswahrheit vom christlich geoffenbarten Gott wurde für Edith Stein zum letzten Kriterium, an dem sich Philosophie zu messen hat. Die Phänomenologin erkannte, daß der traditionelle Begriff ›philosophia perennis‹ nicht mit dem geschlossenen Lehrsystem, das ihn vermittelt, identifiziert werden darf. Sie erweiterte daher den Begriff ›philosophia perennis‹, gab ihm einen neuen, ›übergreifenden Sinn‹, der auch Begegnung mit dem heutigen Philosophieren ermöglicht. »›Philosophia perennis‹ bedeutet doch noch etwas anderes: ich meine den Geist echten Philosophierens, der in jedem wahren Philosophen lebt, d. h. in jedem, den eine innere Notwendigkeit unwiderstehlich treibt, dem Logos oder der ratio (wie es Thomas übersetzt hat) dieser Welt nachzuspüren. Diesen Geist bringt der geborene Philosoph – als Potenz, thomistisch gesprochen, – mit zur Welt. Die Potenz wird zum Akt geführt, wenn er einem reifen Philosophen, einem ›Lehrer‹ begegnet. So reichen sich die echten Philosophen über alle Grenzen von Raum und Zeit die Hände. So waren Plato und Aristoteles und St. Augustin des hl. Thomas Lehrer – wohl zu beachten: nicht Aristoteles allein, auch Plato und Augustin – und es war ihm gar nicht anders möglich als in beständiger Auseinandersetzung mit ihnen zu philosophieren. In diesem Sinn hatte auch Husserl, bei aller Selbständigkeit seines Vorgehens, seine Lehrer. Einige davon hat er selbst deutlich bezeichnet: in bewußter Auseinandersetzung mit Descartes und Hume z. B. hat er sich seine Methode gebildet. Andere haben durch verborgene Kanäle auf ihn eingewirkt, ohne daß es ihm wohl recht zu Bewußtsein kam, zu denen ist auch Thomas zu zählen.«[13]

Przywara deutet diese bewegliche Haltung Edith Steins mit folgenden Worten: »Sie besaß einen doppelten Geist: eine unbegrenzte Fassungskraft für Wesen und Dinge, eine ganz weibliche Aufnahmefähigkeit und zugleich eine männlich sachliche Intelligenz. Ihr Stil war klar, harmonisch, der Widerschein ihrer Persönlichkeit. Sie empfand eine ungeheure Freude bei der Entdeckung der wunderbaren Gedankenwelt eines Thomas von Aquin. Sie liebte die reine Sprache dieses Heiligen mit derselben Liebe, die sie für Bachsche Musik, für den gregorianischen Choral, für Lieder von Reger und Bilder von Rembradt hegte«.[14]

Was Edith Steins Botschaft an die Frau betrifft, wollen wir einige Notizen betrachten, die sie sich für einen Vortrag in Zürich gemacht hatte. Sie zeigen die ungeheure Dynamik und Verantwortlichkeit Edith Steins gegenüber Gesellschaft, Kirche und Politik. Edith Stein wünschte sich die katholische Akademikerin als eine wissenschaftlich gebildete, objektiv denkende Frau. Es ist für sie selbstverständlich, daß die Akademikerin ihre Verantwortung in sachlicher Berufsausübung, in Menschen-Führung, in apostolischem Tun übernimmt. »Es handelt sich darum, Klarheit zu bekommen über das, was geschehen ist bis heute, über das, was nicht getan wurde, um herauszufinden, was geschehen muß in Zukunft.«[15] Die Frau, die die Zeichen der Zeit erkennt, muß ›hellhörig‹ sein, ihre eigene Persönlichkeit entfalten und vertiefen, sie muß ›Pionierblut‹ haben. »Vielleicht haben wir uns im Laufe der Jahrhunderte zu sehr an unsere passive Haltung in der Kirche gewöhnt, es

Ausnahmemenschen überlassen (Theresia von Jesus, Hildegard von Bingen, Katharina von Siena usw.), als ›Ausnahmen die Regel zu bestätigen‹. Das 20. Jahrhundert verlangt mehr ... Verstehen wir, um was es geht bei der sogenannten liturgischen Bewegung? Sicher nicht um Ästhetizismus, nein, um ein tieferes Mitleben, Miterleben des Lebens Christi mit der Kirche.«[16]

Angenehm berührt bei Edith Stein, im Vergleich zu manchen Auswüchsen der gegenwärtigen Frauenbewegung, daß sie weder Selbstbemitleidung kennt, noch den Männern die Schuld zuschiebt. Edith Stein hat eine positive Sicht der Frau wie des Mannes. Um veraltete Rollenfixierungen zu durchbrechen, ermutigt sie die Frau, das Gemeinsame in den Geschlechtern zu sehen, das gemeinsame Menschsein. Sie will die Frau aus ihrer passiven Rolle herausholen. »Existieren heute in der Schweiz Möglichkeiten für katholische Akademikerinnen, wissenschaftlich zu arbeiten und dazu ihr Auskommen zu finden? Existieren Fonds, die wissenschaftliches Arbeiten gestatten, ohne Zwang, verzettelndem, aufreibendem Broterwerb nachzugehen? Sie existieren nicht. Folglich ist es ungerecht, über akademisch gebildete Frauen das Verdikt zu fällen: ›wissenschaftlich unproduktiv‹, solange ihnen die Möglichkeit nicht erschlossen ist, wissenschaftlich tätig zu sein. Bemühen sich die katholischen Akademikerinnen der Schweiz nach dieser Richtung? Fördern sie sich gegenseitig? Stützen und helfen sie den Jungen? Existiert eine katholische Frauenbildungszentrale, wo die nötige Bibliographie vorhanden ist? ... Existiert ein Heim, wo die akademisch gebildete Frau Anregung und Erholung, Kontakt mit Gleichgesinnten usw. finden kann? ... Dies alles existiert nicht. Es ist zu schaffen.«[17] Diese Gedanken sind ein Jahr vor Edith Steins Eintritt in den Karmelorden niedergeschrieben. Vieles von dem, was sie damals von der Frau forderte, ist bis heute noch nicht selbstverständlich.

Für Edith Stein war es wichtig, daß Religion etwas mit Politik zu tun hat. Sie war nicht glücklich darüber, daß viele Frauen 1932 noch nicht einsahen, wie notwendig ihre Mitverantwortung auch im politischen Bereich ist. »Ich verlange von der katholischen Akademikerin der Schweiz nicht ... daß sie sich heute entscheide: Teilnahme der Frau am öffentlichen Leben oder nicht. Aber eines glaube ich im Namen des gesunden Menschenverstandes, im Interesse unserer Familien, unseres Volkes, unserer Kirche fordern zu müssen: daß sie sich interessiert, besinne, daß sie die Frage objektiv studiere im Lichte heutiger Zeitentwicklung.»[18]

Edith Steins leidenschaftliches Engagement führte sie am 14. Oktober 1933 in den Kölner Karmel. Sie war dankbar, im Orden, in der schlichten Alltagsgemeinschaft mit den Schwestern, viel Zeit zu haben zum Gebet. Ihr Ordenseintritt war nicht ein sacrificium intellectus. Gebet stand für Edith Stein nicht gegen Intellekt. Jederzeit war sie bereit, wie sie es in ihrem Heidelberger Vortrag »Der Intellekt und die Intellektuellen« formuliert hatte, manuelle und geistige Arbeit als gleichwertige Forderungen auszuüben. Trotz ihrer Freude, fast unverhofft noch in einem Orden leben zu dürfen, dachte sie nicht daran, sich ein Nest zu bauen, um vor der ›bösen‹ Welt gesichert zu sein. Eine Studienrätin, die Edith Stein 1935 besuchte, äußerte »ihre Befriedigung, Schwester Benedikta (Edith Stein) im Karmel doch wohl geborgen zu wissen. Darauf antwortete sie schnell: ›o nein, das glaube ich nicht, man wird mich hier sicher noch herausholen. Jedenfalls darf ich nicht damit rechnen, hier in Ruhe gelassen zu werden‹, und sie fügte hinzu: ›es sei ihr klar, daß sie für ihr Volk leiden solle und den Auftrag habe, viele heimzuholen‹.«[19]

Als Ordensfrau hat Edith Stein eine zweifache Botschaft. Allein durch ihre Existenz in einem kontemplativen Frauenorden wurde die einseitige Fixierung der kontemplativen Berufung auf bloße Handarbeit durchbrochen. Edith Stein bekam das zu spüren, denn in ihrer Zeit waren viele Schwestern der Ansicht, geistige Arbeit sei keine richtige Arbeit, passe nicht in das Leben des Gebetes. In kontemplativen Männergemeinschaften war diese Fixierung weniger gegeben, da Mönche spirituelle Aufgaben übernahmen oder Priester waren. Der Moraltheologe Hans Rotter sagt, ein Anheben des Niveaus in der Ausbildung der Frau habe ganz selbstverständlich auch neue Beauftragungen zur Folge. Das ›katholische Bildungsdefizit‹ kann nur dadurch überwunden werden, daß Demut nicht mit Nicht-Wissen gleichgesetzt wird. Phasen der Einübung in klösterliches oder monastisches Leben dürfen nicht als Endphasen fixiert werden, sie müssen der Entwicklung der Menschen Rechnung tragen. Auch kontemplative Orden sollen ihren Mitgliedern einen Raum ermöglichen, der ihre spirituelle Entfaltung fördert und Aufgaben verlangt, gemäß der Persönlichkeitsbildung der einzelnen. Das Entscheidende im Mönchsleben ist nicht der subjektive Genuß des Betens, sondern der Gehorsam, d. h. die Verfügbarkeit für die Anforderungen, die im Laufe eines Ordenslebens auf den einzelnen zukommen. Auch hier war Edith Stein Pionierin. Ihre zweite und letzte Botschaft im Karmel ist ihr Sinn für Stellvertretung, für Verantwortlichkeit gegenüber den Mitglaubenden oder am Glauben nicht Interessierten. »Innerhalb der Kirche«, schreibt sie, »gibt es Gemeinschaftserlebnisse verschiedenster Art: Andacht, Begeisterung, Werke der Barmherzigkeit usw., aber nicht ihnen verdankt die Kirche ihr Bestehen. Sondern dadurch, daß der einzelne vor Gott steht, vermöge des Gegeneinanders und Zueinanders von göttlicher und menschlicher Freiheit, ist ihm Kraft gegeben, für alle dazustehen, und dieses ›Einer für alle und alle für einen‹ macht die Kirche aus ... Je mehr einer von der göttlichen Liebe erfüllt ist, desto mehr ist er geeignet, die für jeden prinzipiell mögliche Stellvertretung zu leisten.«[20] In der Gemeinschaft der Kirche hat Edith Stein zu jener Gliedschaft hingefunden, in der sie fähig wurde, sich für die Interessen, für das Heil anderer loszulassen, ja selbst ihr Leben aufs Spiel zu setzen. Das paulinische Engagement: »Ja, ich möchte selber verflucht und von Christus getrennt sein um meiner Brüder willen« (Röm 9,3) ist auch das ihrige. Man kann einwenden: hatte Edith Stein ein strenges Gottesbild? War sie wirklich der Meinung, Gott brauche Opfer von Menschen, um versöhnt zu werden? Edith Stein verstand unter Stellvertretung den Wunsch, mit allen, die ihr gegeben waren, für immer in einer Gemeinschaft der Liebe und des Friedens zu sein. Sie glaubte, daß Gott uns in Jesus von Nazareth gezeigt hat, daß göttliche Liebe sich verschenkende Liebe ist, sterbende Liebe, um anderen Leben zu ermöglichen. Mit Christus wollte sie an seinem Leben und Leiden Anteil haben. Edith Stein vertraute auf Gottes unendliches Erbarmen, »aber den Ernst der letzten Dinge dürfen wir uns nicht verschleiern. Nach jeder Begegnung, in der mir die Ohnmacht direkter Beeinflussung fühlbar wird, verschärft sich mir die Dringlichkeit des eigenen holocaustum ... Es mag uns noch so sehr die gegenwärtige Lebensform nicht als die adäquate erscheinen – was wissen wir im Grunde davon? Aber, daß wir hier und jetzt stehen, um unser Heil zu wirken und das derer, die uns auf die Seele gelegt sind, daran kann kein Zweifel sein.«[21]

Diese verantwortungsbewußte und geradlinige Edith Stein war kein trauriger, verbissener Mensch. Ihre Freundin Hedwig Conrad-Martius und Jan H. Nota, der sie ein halbes Jahr vor ihrem Tod in Echt kennenlernte, berichten übereinstimmend vom Zauber der unzerstörbaren Heiterkeit ihres Wesens. Sie hatte beides, den Ernst und die Verantwortlichkeit, sowie das fröhliche, heilende Nähe ausstrahlende Herz. Die Husserlschülerin, Sr. Adelgundis Jaegerschmid, berichtet von Edith Stein als Assistentin Husserls: »Edith verschwand unbemerkt unter uns (den Studentinnen), obwohl sie als außerordentlich klug galt ... Sie kam uns ziemlich unmodern vor. Immer saß sie in einer der ersten Reihen des Hörsaales, klein, schmal, unbedeutend, in intensives Nachdenken versunken. Sie trug das dunkle, glatte Haar gescheitelt und im Nacken zu einem schweren Knoten zusammengefaßt. Sie war von fast kränklich wirkender Blässe und die großen schwarzen Augen mit dem forschenden Blick ließen sie ein wenig streng erscheinen, fast abweisend, als wollte sie unnützer Ablenkung vorbeugen. Aber in dem Augenblick, wo man persönlich an sie herantrat, leuchtete eine unbeschreibliche Milde in den Augen auf, ein entzückendes Lächeln beseelte ihr Antlitz, dessen Züge ein wenig von der Unschuld und Schüchternheit des Kindes bewahrt hatte. Man kann nicht sagen, daß sie schön war, nicht einmal hübsch, noch daß sie etwas von dem weiblichen Reiz besessen hätte, der die Herzen entflammt. Aber es lag ein unvergleichlicher Zauber über diesem Antlitz, mit der hohen, weisheitsvollen Stirn, mit diesen kindlichen, wundervoll ausdrucksfähigen Zügen, ein Widerschein des Friedens, so daß man nicht müde wurde, sie anzuschauen.«[22]

Die gleiche Botschaft des Friedens, des strahlenden Lächelns inmitten einer Atmosphäre des Todes, brutaler Gewalt, schildert 1950 ein jüdischer Beamter vom Joodsen Rat, Herr Wielek. Er begegnete Edith Stein 1942 im Durchgangslager Westerbork. »Die eine Nonne, die mir sofort aufgefallen war und die ich – trotz der vielen, abscheulichen Episoden, deren Zeuge ich war – nie habe vergessen können, die Frau mit ihrem Lächeln, das keine Maske war, sondern wie ein warmes Leuchten aufging, ist diejenige, die durch den Vatikan vielleicht heiliggesprochen wird ... als ich dieser Frau im Lager Westerbork begegnete ... wußte ich sofort: das ist ein wahrhaft großer Mensch. In dem Hexenkessel Westerbork lebte sie einige Tage, ging, sprach und betete sie ... wie eine Heilige, ja, das war sie. Das war das Bild dieser älteren Frau, die so jugendlich wirkte, die so ganz und wahrhaftig und echt war. Bei einem Gespräch sagte sie: ›Die Welt besteht aus Gegensätzen ... Letzten Endes aber wird nichts bleiben von diesen Kontrasten. Die große Liebe allein wird bleiben ... Und daß meine Schwestern und Brüder so leiden müssen, das habe ich wahrhaftig auch nicht gewußt ... Jede Stunde bete ich für sie. Ob Gott mein Gebet erhört? Ihre Klage hört er ganz gewiß‹.«[23] Edith Stein nahm sich im Konzentrationslager der verzweifelten und apathischen Mütter an, sie putzte und wusch die Kinder und tröstete sie. Als Wielek erkannte, daß Edith Stein mit den anderen abtransportiert werden sollte, fragte er sie, ob er Utrecht anrufen sollte, um noch irgend eine Rettungsmöglichkeit zu versuchen. Sie aber wehrte ab. »War dies nicht gerade Gerechtigkeit, daß sie keinen Vorteil ziehen konnte aus der Tatsache, daß sie getauft war? Wenn sie nicht das Los der andern teilen sollte, sei ihr Leben wie vernichtet ... Sie ging betend neben ihrer Schwester (Rosa) zu den Wagen. Ich sah ihr Lächeln – ihre ungebrochene Festigkeit ..., die sie nach Auschwitz begleiteten.«[24]

Edith Stein hat widerstanden bis in den Tod: sie widerstand der Bosheit, der Verzweiflung, der Gemeinheit von Menschen in der Kraft des Gebetes, der hingebenden Liebe. Sie hatte als junge Wissenschaftlerin über das Thema »Einfühlung« geschrieben. Ein ganzes Leben lang interessierte sie sich dafür, wie Menschen untereinander und mit Gott in Beziehung treten können. Ihr Tod war, ähnlich wie der Tod Christi, eine völlige Verhöhnung all dessen, was sie als suchende Atheistin, als gläubige Christin gefunden und verteidigt hatte: die Würde des Menschsein, die Würde des Personseins, die Würde des Geschöpfseins.

Seit 1978 besteht im Bistum Stuttgart ein Kloster, das als erster Karmel-Konvent den Namen Edith Steins trägt. Die Schwestern des Edith-Stein-Karmel in Tübingen wollen mitten im studentischen Milieu das Gedächtnis und Lebenszeugnis Edith Steins wachhalten. Edith Stein: Jüdin, Christin, berufstätige Frau und selbständig arbeitende Wissenschaftlerin, ist für viele, vor allem junge Menschen heute, eine wegweisende Gestalt, und ein Zeichen der Versöhnung zwischen Juden und Christen. Ähnlich wie Dag Hammarskjöld, Martin Luther King, die Geschwister Scholl, Dietrich Bonhoeffer, Alfred Delp u. a. hat sie nicht nur von Frieden und Versöhnung gesprochen, sondern ihre Hingabe an Gott und die Menschen mit dem Opfer des eigenen Lebens eingelöst.

[1] Brief Edmund Husserls an Daniel Feuling OSB, Kopie im Archiv Edith-Stein-Karmel Tübingen.

[2] Zentrales Staatsarchiv, Merseburg, DDR.

[3] Waltraud Herbstrith, Das wahre Gesicht Edith Steins, [5]München 1983, S. 17 (Brief von Uta von Bodman, Archiv Edith-Stein-Karmel Tübingen).

[4] Edith Stein, Selbstbildnis in Briefen, 2. Teil, Werke Band IX, Freiburg 1977, S. 188.

[5] Edith Stein, Wie ich in den Kölner Karmel kam, in: Teresia Renata Posselt, Edith Stein, Eine große Frau unseres Jahrhunderts, [9]Herderbücherei, Freiburg 1983, S. 97, 98.

[6] Edith Stein, Aus dem Leben einer jüdischen Familie, Werke Band VII, Freiburg 1965, S. 174.

[7] Ebd. S. 279.

[8] Waltraud Herbstrith, Das wahre Gesicht Edith Steins, S. 136, 137.

[9] Teresia Renata Posselt, Teresia Margareta Drügemöller, Kölner Selig- und Heiligsprechungsprozeß der Dienerin Gottes, Sr. Teresia Benedicta a Cruce – Edith Stein, Köln 1962, S. 89.

[10] Ebd. S. 88.

[11] Ebd. S. 92.

[12] Edith Stein, Husserls Phänomenologie und die Philosophie des hl. Thomas von Aquino. Versuch einer Gegenüberstellung, in: Festschrift Edmund Husserls, zum 70. Geburtstag gewidmet, [2]Tübingen 1974, S. 316, 317.

[13] Ebd. S. 316.

[14] Maria Baptista Pohl (a Spiritu Sancto), Edith Stein, Nürnberg 1954, S. 43 (2. Aufl. Kaldenkirchen 1954).

[15] Edith Stein, Die Frau, Ihre Aufgabe nach Natur und Gnade. Werke Band V, Freiburg 1959, S. 219.

[16] Ebd. S. 226. [17] Ebd. S. 223. [18] Ebd. S. 226.

[19] Kölner Selig- und Heiligsprechungsprozeß, S. 17.

[20] Waltraud Herbstrith (Hrsg.), Edith Stein, In der Kraft des Kreuzes, Freiburg 1980, S. 64, 65 (Textauswahl).

[21] Ebd. S. 105.

[22] Maria Baptista Pohl, Edith Stein, S. 28.

[23] Waltraud Herbstrith, Das wahre Gesicht Edith Steins, S. 173.

[24] Ebd. S. 173, 174.

Ludwig Bertsch SJ

»Nach Gottes Ordnung und in Gottes Freiheit«

Lebenszeugnis und Glaubensvision von Alfred Delp

Kapitulation und Widerstand

1985 gedachte man der Kapitulation des nationalsozialistischen Regimes, von vielen Kapitulation der Deutschen oder des Deutschen Reiches genannt. Doch es gab 1945 und in den Jahren davor nicht nur solche, denen nichts anderes übrig blieb als schließlich die bedingungslose Kapitulation. Es gab Frauen und Männer, die widerstanden. Sie widerstanden dem Unrecht. Sie widerstanden einer Macht, einem Regime, das sich für totalitär erklärt hatte, das sich damit als letzten, nicht mehr zu hinterfragenden Wert ansah, dem alles andere, auch Freiheit und Gerechtigkeit zu opfern waren. Sie widerstanden der Versuchung, schnell zu kapitulieren und sich in das scheinbar Unvermeidliche zu fügen. Sie waren bereit, dem System zu widerstehen. Und dies alles, weil sie Gott mehr zutrauten als den Menschen, weil sie ihr Knie nicht vor dem Versucher beugen wollten. Sie versprachen sich nichts davon, denn ihr Glaube lebte von dem Wort Jesu: »Du sollst den Herrn, Deinen Gott anbeten und ihm *allein* dienen« (Mt 4,10). Darum ist der Tod jener Frauen und Männer, die aus christlicher Grundüberzeugung widerstanden, nicht Untergang, sondern Aussaat. Dies ist ihnen allen gemeinsam.

Das Besondere des jeweiligen Zeugnisses jedoch erwächst aus dem Kontext des Lebens eines jeden. Von hier her empfängt sein Zeugnis den eigenen Akzent, wird es zu einer eigenen Botschaft, die nicht nur die Damaligen erreichte, sondern auch die Heutigen betrifft.

Das Grundthema im Leben und Sterben von Alfred Delp

Es ist nicht leicht, das vielfältige Leben eines Menschen auf einen Nenner, auf ein Grundthema zu bringen. Bei Alfred Delp erscheint es mir sein leidenschaftliches Engagement für den Menschen und die menschliche Gesellschaft zu sein; das, was in anderem Kontext »die soziale Frage« genannt wird und dies unter dem Stichwort, das er selbst einmal verwendete: »nach Gottes Ordnung und in Gottes Freiheit«.

Schon die familiäre Herkunft wies ihn in diese Richtung. Kleinbürgerliche Verhältnisse im Mannheimer Industriegebiet machten ihn früh auf diese Frage und ihr Anliegen aufmerksam. Seinen Mitnovizen fiel es bereits auf, wie sehr er sich in dieser Frage im Gespräch engagierte (I,16).[1] Bereits 1931 erhielt Alfred Delp von seinem Provinzial die Destination für das geplante Sozialinstitut des Ordens. Als Erzieher bei den Jugendlichen in St. Blasien schrieb er 1933 für sie ein Adventspiel. Die Überschriften der drei Akte zeigen wieder denselben Akzent: Die toten Soldaten – Die Grubenarbeiter – Der Arbeiterpriester (I,51–68).

Die Umstände im Dritten Reich erlaubten es nicht, das geplante Sozialinstitut zu verwirklichen. So war es nur konsequent, daß Alfred Delp 1939 – nach Abschluß der Ordensausbildung – in die Redaktion der Zeitschrift »Stimmen der Zeit« geschickt wurde und dort die Behandlung der sozialen Frage im wirtschaftlichen und politischen Leben seine Aufgabe wurde.

Im Oktober 1941 wurde er in dieser Eigenschaft, nämlich als Soziologe, in den Kreisauer Kreis gerufen. Roman Bleistein, der bekannte Delp-Forscher, berichtet darüber: »Im Frühjahr 1942 erbat Moltke von P. Provinzial Rösch einen Soziologen, mit dem er vor allem die Arbeiterfragen und die Frage der Wiederverchristlichung der deutschen Arbeiterschaft besprechen könne. P. Rösch erzählte davon P. Delp . . . Der Pater war über diese Möglichkeit bei seiner bekannten lebendigen und tiefen Liebe zu aller sozialen Arbeit sehr erfreut . . . so sagte er zu, traf auf den Wunsch und mit Wissen seines Obern nach einer Fastenpredigt mit Graf Moltke zusammen.«[2]

Das Engagement für die soziale Frage ist für Delp ein integrierender Bestandteil seines Lebens als Christ und als Jesuit. Am deutlichsten wird dies in einem Brief an seinen Mitbruder und Freund, Theo Hoffmann, dem er am 21. Januar 1945, also nach seiner Verurteilung zum Tode schreibt: »Durch die Not des Prozesses hat das Leben ja ein gutes Thema bekommen, für das sich sterben und leben läßt« (IV,136). Unter den verschiedenen Akzenten des Themas erwählt Delp an vierter Stelle: »Die katholische Lehre von der iustitia socialis als Grundlage für einen kommenden Sozialismus« (ebd).

In der folgenden Darstellung soll die soziale Frage als Thema im Leben Alfred Delps nicht umfassend behandelt werden, sondern unter dem Aspekt, der für ihn von besonderer Bedeutung war: dem Verhältnis von Kirche und Gesellschaft. Dies hat ihn bis kurz vor seinem Tode beschäftigt, wie die Reflexion über das Thema: »Das Schicksal der Kirchen« zeigt. Zugleich soll der Versuch unternommen werden, einen Beitrag zu einem von Bleistein geäußerten Desiderat zu leisten, dem

Aufweis der Bedeutung Delps für eine zeitgemäße Pastoral (I,50–41).

*

»Die Zeichen der Zeit«

Delps Sicht und Beurteilung des Menschen, der Gesellschaft und der Kirche seiner Zeit

An vielen Stellen des umfangreichen und sehr unterschiedlichen Schrifttums von Alfred Delp finden wir Zeitanalysen. Sei es in seinen Tagebuchnotizen, in seinen Briefen, in Predigtanregungen oder Predigten, in Meditationen und Artikeln bis zu Kassibern aus dem Gefängnis. Alfred Delp betreibt an all diesen Stellen nicht Analyse um ihrer selbst willen. Er ist nicht der Meinung, kritische Analyse sei bereits Heilung. Sie ist für ihn Voraussetzung, und zwar unabdingbare, nicht zu überspringende Voraussetzung eines notwendigen Heilungs- und Ordnungsprozesses. Immer wieder gibt er sich in diesem Sinne über seine Analysen Rechenschaft.

In der Neujahrspredigt 1944 sagt er: »Warum dies alles zu Beginn eines Neuen Jahres? Es hat keinen Sinn, die Fragen zuzudecken oder zu sagen: es wird schon ein Sinn darüber stehen. Irgendwo ist da gerade unser Leben zerbrochen, daß wir diese Dinge nicht mehr zusammengebracht haben, daß wir das Leben des Werktags anders führen mußten und daneben das religiöse, das aus Gewohnheiten kam. Ich will Ihnen das Leben nicht schwerer machen. Es stimmt etwas nicht, sonst könnte dies nicht sein, daß da der Mensch ein neues Jahr beginnt und nicht weiß, was mit ihm gemacht wird. Es könnte nicht sein, daß die großen Worte, die verbürgt sind und als Worte Gottes durchforscht sind, in dieser

Zeit keine Wirklichkeit mehr haben. Es fehlt uns der feste Boden, von dem aus sich die Dinge erhellen« (III,150–151). Und zu Beginn seiner Reihe »Zeichen der Zeit« sagt er am 14. September 1942: »Sind Sie mir nicht böse, wenn ich so hart anfange. Aber ich bin von den letzten Reisen mit einer großen Bitterkeit zurückgekommen. Nicht, was die Bomben zerschlagen, darf das Letzte sein. Wir müssen fragen: Wie wird vom Herrn und von seiner Wahrheit her die Welt neu gestaltet und neu verwaltet, wenn sie aus den Fugen geht, an den inneren Sinnlosigkeiten und Maßlosigkeiten? So wird die Zeit alle kirchlichen Menschen fragen. Der Mensch, der sagen kann, so wird gelebt –, in ihm soll die Kirche zum Zeichen der Zeit werden« (III,415).

Der Auszug des Menschen aus der Mitte, die ihn und seine Welt zusammenhält – Delps Zeitanalyse

Von seinen ersten Veröffentlichungen an, Predigtanregungen, die er in der Jesuitenzeitschrift »Chrysologus« veröffentlichte, bis in seine letzten Tage sieht er die Situation der Gesellschaft in seiner Zeit vor allem dadurch gekennzeichnet, daß der Mensch die Mitte verlor, die ihn und die Welt zusammenhält: »Diese Menschen sind innerlich zerfallen, weil sie keinen Mittelpunkt mehr anerkennen, aus dem sie leben. Deshalb ist unsere Zeit eine Zeit, über die das Gesetz des Untergangs zu herrschen scheint. Die Menschen dieser Zeiten haben den Versuch einer peripheren Lebensgestaltung unternommen. Sie haben versucht, einen Teil an die Stelle des Ganzen zu stellen. Sie haben es versucht im persönlichen Leben und sie haben es versucht im öffentlichen und gemeinsamen Leben. Das Ergebnis liegt vor: dieses zerfahrene und zerrüttete Leben, das heute spürt, daß es keine Grundlage mehr hat, das laut und vernehmlich davon spricht, daß es um seine Existenz bangt, das nun verzweifelt um den Tod tanzt und dabei vom Leben spricht und nach dem Leben fragt. Wir brauchen die Geschichte nur ein paar Blätter umzudrehen und wir sehen, warum wir heute unter dem Gesetz des Todes stehen. Etappe um Etappe können wir verfolgen, wie der Mensch sich wegschlich vom Mittelpunkt des Lebens, von den Quellen des Lebens und wie er sich draußen an der Peripherie ansiedelte. Kirche – Christus – Gott gab man hin. Ein Versuch jagt den anderen. Totale Wissenschaft, totale Wirtschaft, totale Politik; alles umsonst. Der Mensch selbst ging zugrunde dabei. Und er wird so lange vor dem Abgrund stehen und in sich diese Angst um sich selbst nicht los werden, bis er wieder heimkehrt, bis er wieder Mittelpunkte anerkennt, die außer ihm und über ihm liegen« (I,74–75).

Jahre später, als er im Gefängnis die Situation bedenkt, schreibt er ausdrücklich: »Ich bleibe bei meiner alten These: der gegenwärtige Mensch ist weithin nicht nur gott-los, rein tatsächlich oder auch entscheidungsmäßig, es geht die Gottlosigkeit viel tiefer. Der gegenwärtige Mensch ist in eine Verfassung des Lebens geraten, in der er Gottes unfähig ist. Worin diese Gottesunfähigkeit besteht? Sie besteht in einer Verkümmerung bestimmter menschlicher Organe, die ihre normale Funktion nicht mehr leisten. Ebenso in einer Struktur und Verfassung des menschlichen Lebens, die den Menschen überbeanspruchen, ihm nicht mehr erlauben, er selbst zu sein. Dies gilt rein technisch-soziologisch ebenso wie moralisch-ordnungsmäßig« (IV,312).

Immer wieder stellt Alfred Delp die Frage, »wie das alles so gekommen ist. Man darf nicht die letzten paar Jahre oder Jahrzehnte beschuldigen. Die waren Ernte, nicht Aussaat« (IV,312). Daher versucht Delp immer wieder, die großen Entwicklungslinien aufzuzeigen, die zu der geschilderten Situation des Menschen und seiner Gesellschaft geführt haben.

Er sieht eine geistesgeschichtliche Linie, die vom ausgehenden Mittelalter über die Reformation und die Zeit der Aufklärung in die Gegenwart führt und dort mit all ihren Konsequenzen eingreift. In einer Fastenpredigt am 14. März 1943 führt Alfred Delp in Zusammenhang mit einer Betrachtung zu Dürers Stich »Ritter, Tod und Teufel« diese Gedanken aus. Die Ordo-Idee des Mittelalters war für ihn »keine mechanische und kerkerhafte Härte und Konstruktion. Dahinter steckte etwas anderes. Dahinter steckte die Leidenschaft zu Gott, dem Herrn aller Werte und dem ewigen Quell aller echten Hierarchien« (III,184).

Aus diesem Ordo, der eine eindeutige Mitte, den absoluten Gott, besitzt, zieht der Mensch aus: »Da zog zunächst der Mensch der Renaissance über unsere Straßen. Er war noch ein kosmischer Mensch, er brachte noch reiches Erbe mit, sein Geist war noch intakt, der Geist eines hochgemuten Ritters. Aber er war zugleich der erste Mensch, der diesen Raum des Ordo zerbrach. Seine große Leidenschaft war die Leidenschaft zum Menschen, zur Welt und ihrer Köstlichkeit. Dann die Zeit der Reformation. Die Zeit der vom Menschen gefügten Kirche.

Die Leidenschaft zur subjektiven Religiosität. Der Mensch fängt an, seine Zuständigkeit bis in die Gegenwart Gottes vorzutreiben. Und diese Entwicklung geht weiter. Die Leidenschaft der Aufklärungszeit ist nur noch ein Bekenntnis zu einem Teil der Wirklichkeit, Leidenschaft zur Vernunft, zum absoluten Menschen. Und wie vordem Gott, so wird jetzt der Mensch selbst zweitrangig und gleichsam nebensächlich unter den

Zielen und Werten, nach denen die Leidenschaft des Menschen greift. Es beginnt die Zeit der politischen Neuformungen und vor allem das ungeheure Erwachen der Naturwissenschaften und der Technik. Es beginnt die ungeheure Leidenschaft des Menschen zu den Dingen, zum technischen Können, zur Eroberung, zum Erwerb. Der Raum, die Erde, ehedem der große Kosmos, ist wirklich zum kleinen Streitobjekt geworden. Jeder versucht mit letzter Leidenschaft einen Fetzen dieser Erde an sich zu bringen und für sich zu sichern.

So wurde der Mensch in eine letzte Leidenschaft getrieben, unter der er nun generationenlang schon stöhnt und schreit. Eine Leidenschaft ohne Ziel, ohne großen Aufbruch . . . Die immer dichtere Enge des sozialen und wirtschaftlichen Raumes, die Inhaltslosigkeit des geistigen Raumes, die schwindende Kraft der sittlichen Substanz, die Verkümmerung der religiösen Organe: das alles zusammen zwingt uns in diese letzte Leidenschaft, in diesem großen Schrei der Sehnsucht,endlich aus der Not herauszukommen und herauszusuchen . . . Dies alles stammt aus dieser letzten Leidenschaft, die die Not in uns weckt und die uns jagt und treibt und zum Menschen unterwegs macht. Das ist der Mensch, der vom Ritter zum totalen Landsknecht wurde, das ist unser Weg« (III,184–185).[3] Wie sehr Alfred Delp diese Gedanken bis in die Tage der Haft in Tegel beschäftigten, zeigt sich darin, daß er bei Meditationen über die Bedeutung der Herz-Jesu-Verehrung in dem Bemühen, die Hintergründe dieser Andacht zu beleuchten, nochmals kurz dieselbe geistesgeschichtliche Linie aufweist (IV,245–247).

Zu dieser Auffassung Alfred Delps ist kritisch anzumerken, daß er ohne Zweifel manches weggelassen hat, was einem vollständigen und damit gerechten Bild der geistesgeschichtlichen Entwicklung hinzugefügt werden müßte. Zu Beginn der Neuzeit war es das Problem, wie aufgrund neuer Entwicklungen in Weltbild und Wissenschaft die dadurch in Frage gestellten philosphischen und theologischen Positionen eines mittelalterlichen Ordo so zu vermitteln sind, daß sie eine neue Weltsicht eröffnen könnten. Der von Delp geschilderte Auszug des Menschen aus dem Ordo des Mittelalters war nicht, um in Delps Bild zu bleiben, der Auszug des verlorenen Sohnes aus dem Hause des Vaters. Das Haus des Menschen und seiner Gesellschaft, auch das Haus der Kirche bot dem Neuen, das sich auftat, keinen oder noch keinen Raum. Philosophen und Theologen der Neuzeit haben in der Suche nach diesem Raum, bei der sie nicht einfach an Vergangenes anknüpfen konnten, viel Positives geleistet. Der Hinweis auf solche Einseitigkeiten in Delps Sicht der geistesgeschichtlichen Entwicklung sagt aber nicht, daß diese Sicht falsch wäre. Delp schildert die Entwicklung des Menschen und seiner Gesellschaft holzschnittartig. Ihm geht es darum, die bleibenden wichtigen Züge der Entwicklung deutlich, manchmal überdeutlich herauszustellen. Gerade in der Gegenwart wurde – im Zusammenhang mit Zeitanalysen – öfter hervorgehoben, wie wichtig es gerade für die heutige Situation und deren Beurteilung ist, die Grundlinien der Entwicklung herauszustellen.[4]

Alfred Delp sieht es als ein Verhängnis an, daß der Mensch den oft schmerzlichen Weg zur Mitte, den er sieht, nicht geht, sondern sich lieber an solche hält, die beim Vorletzten stehen bleiben. Er macht dies in seiner Kritik an Goethe deutlich. Sie mag manchem hart erscheinen und ist sicher einseitig. Doch sie macht sein Anliegen deutlich.

In einer Meditation zum 4. Advent 1944 schreibt er aus dem Gefängnis: »Goethe meint: ›willst du ins Unendliche schreiten, geh' im Endlichen nach vielen Seiten‹. Der Alte von Weimar hat viel echte Erfahrung verkündet, aber von den metaphysischen Hintergründen weiß er nicht viel Eigenes. Er hat Spinozas pantheistische Logik ins Lyrische und scheinbar Erfahrene übersetzt. Dabei gibt es trotz aller Erlebnisfreiheit und Erlebnisfreudigkeit für die letzten Haltungen und Wertungen wohl selten einen systematischeren und auswegloseren Dogmatiker als Goethe« (IV,180).

Eines ist für Delp sicher: die geistesgeschichtliche Entwicklung ist nicht ein unentrinnbares Schicksal, sondern Herausforderung zur Erschüttung als Wegeröffnung zur Mitte. Dann steht allerdings eine neue Versuchung auf: das Angebot zur Ehrlichkeit abzutun. »Es hängt nun alles davon ab, ob der Mensch dieses Angebot zur Ehrlichkeit annimmt oder ob er es als ›schwache Stunde‹ abtut und sich wieder ›erholt‹. – Im zweiten Fall ist die Verhärtung und Verfinsterung schlimmer denn je, weil der geistige Organismus allmählich immunisiert wird und für eine Zeit lang das Falsche als Richtmaß erträgt. Das gibt dann die großen Verderber und Verfälscher des Wirklichen und ihrer selbst. Die Frevler aus Selbstverwirklichung, Recht auf Leben, Lebenshunger usw. Bei einer einigermaßen großen Begabung erstehen aus diesen Menschen die genialen Verführer der Menschheit. Die großen Entzünder der geschichtlichen Katastrophen. Sie sind fähig, ganze Generationen unter das Gesetz der eigenen Irrung zu verführen. Die Menschen einer Zeit finden sich plötzlich in einem geschlossenen Kreis der Mitverantwortung, der sie nicht mehr ausläßt, den zu sprengen ihre eigene Kraft übersteigt« (IV,286).

Hier setzt Delps Kritik und Anfrage an das Bürgertum und die bürgerliche Gesellschaft ein. Er weiß um ihre Größe und um ihre Sendung. Bei ihm wird sie nicht aus vorgefaßten Ideologien abgelehnt oder gar verdammt. Gerade darum kann er umso engagierter auf die Gefahren des bürgerlichen Lebensstiles hinweisen: »Der bürgerliche Lebensstil hat einmal seine Größe und seine Sendung gehabt. Er war immer gefährdet und gefährlich, weil seine Größe immer mit der menschlichen Schwäche im Bündnis war und dauernd die Möglichkeit bestand, daß sich der Mensch der Güter, die der bürgerliche Mensch anhäufte, die er braucht zur Erfüllung von Auftrag und Sendung, bemächtigte, um in ihnen zu bleiben. Das war dann die Erstarrung und der Kältetod: der Bürger-Sinn für die größere Verantwortung starb und übrig blieb der bürgerliche Hunger und Durst nach Wohlfahrt, Pflege, Ruhe, Bequemlichkeit, gesichertem Besitz. Die Rente, der Coupon, die stille Teilhaberschaft, die Zinshäuser: das waren und sind die Symbole und Ideale dieser Menschen geworden. Daß da ein Menschentyp geworden ist, vor dem selbst der Geist Gottes, man möchte sagen, ratlos steht und keinen Eingang findet, weil alles mit bürgerlichen Sicherheiten und Versicherungen verstellt ist, darf nicht nur als Erscheinung der Vergangenheit gewertet werden. Dieser Typ lebt noch. Dieser Typ hat die Geleise der Entwicklung, auf denen wir fahren, gelegt. Dieser Typ ist grundsätzlich nicht überwunden, weil alle Gegenbewegungen eigentlich nicht den Typ negieren, sondern nur den Ausschluß eines Teiles der Menschen von den Lebensmöglichkeiten des Typs. Die meisten modernen Bewegungen sind doch ausgezogen, um es den jetzt noch Ausgeschlossenen zu ermöglichen, so gut bürgerlich als möglich zu leben. Und selbst wo Zeit und geistige Zusammenhänge da und dort die Entwicklung weitergetrieben haben, blieben sie in der alten Form des Bürgertums, im bürgerlichen Imperialismus stecken« (IV,299).

Von hier aus sieht Alfred Delp auch auf die Kirche und ihre Aufgabe in der Gesellschaft. Es ist für ihn eine Selbstverständlichkeit: die Kirche ist »das Zeichen der Zeit«. So stellt er sie an die erste Stelle in einem Vortragszyklus, den er 1942/43 gehalten hat. Von Gott her ist die Kirche Licht auf dem Leuchter, Stadt auf dem Berge, Zeugnis bis an die Grenzen der Erde. Ihr innerer Sinn ist: Zeugnis zu geben für die Wahrheit (IV,411). So kann er bei einer Predigt zum Fest Peter und Paul sagen: ». . . vielleicht sagen Sie: ›Da steht ja, die Pforten der Hölle werden sie nicht überwältigen (Mt 16,18) – was sich also Sorgen machen. Sie wird überleben‹. Ja freilich, Kirche wird immer sein, weil sie letztlich stammt aus dem großen Heilswillen des Herrgotts, weil sie immer neu hervorströmt aus der großen Glut des Herrgotts zu sich selbst und der Kreatur. Aber wird bei uns immer Kirche sein, hier im Land, hier in Augsburg? . . . Wenn wir fragen: Lebt oder stirbt die Kirche?, dann meint das *unsere* Kirchenstunde. Da helfen uns keine Erwägungen. Da hilft uns nur die ehrliche Bestandsaufnahme dessen, was ist, und der innere Versuch, damit fertig zu werden« (III,234).

So fragt Delp offen, Woran stirbt die Kirche? »Nicht an Gott. Sein Heilswille widerruft sich nicht . . . Von Gott her stirbt die Kirche nicht. Die Frage nach dem Tod der Kirche ist eine Frage an die Kirche vor Ort. Sie kann sterben an den verkümmerten Menschen.« In seiner Weihnachtsmedidation »Gestalten der Weihnacht« aus dem Januar 1945 hat er ein Kapitel überschrieben: »Die nicht da sind«, d. h. jene, die nicht an der Krippe sind bei dem Ereignis des Kommens Gottes in seinem Sohn in diese Welt. Unter ihnen nennt er auch »Die amtliche Kirche«: »Die Synagoge erschien nicht zur Anbetung. Ihr ganzer Auftrag war doch das Warten auf diese Stunde und das Flehen um ihre Verwirklichung. Sie brachte sogar aus ihren Büchern heraus, daß der Ort dieser Erfüllung Bethlehem sein werde. Aber so sicher waren sie in ihrer dürren Überlieferung und kalten Erstarrung, daß sie die Zeichen der Zeit nicht einmal ahnten. So ging ihnen auch kein Stern und kein Licht auf. So sangen ihnen auch keine Engel das neue Lied.

Oh daß dies doch nur Geschichte und abschreckendes Beispiel wäre! Aber es ist Wirklichkeit. Die neue Kirche durchströmt immer neu der Schöpfergeist. Aber welcher Gewalt und Gewaltsamkeit bedarf er oft, um sich durchzusetzen. Die Ämter der Kirche sind innerlich vom Geist geführt und verbürgt. Aber die Amtsstuben! Und die verbeamteten Repräsentanten. Und die unerschütterlich-sicheren ›Gläubigen‹! Sie glauben an alles, an jede Zeremonie und jeden Brauch, nur nicht an den lebendigen Gott. Man muß bei diesen Gedanken sehr behutsam sein, nicht aus Angst, sondern aus Ehrfurcht. Aber es stehen so viel Erinnerungen auf an Haltungen und Gebärden gegen das Leben. Im Namen Gottes? Nein, im Namen der Ruhe, des Herkommens, des Gewöhnlichen, des Bequemen, des Ungefährlichen. Eigentlich im Namen des Bürgers, der das ungeeignetste Organ des Heiligen Geistes ist« (IV,211–212).

Aus dieser Sicht heraus hatte Alfred Delp einige Monate zuvor die Frage gestellt: Wie wird die Kirche zum echten Zeichen unserer Zeit? Seine Antwort ist eindeutig: Durch Christen, die wissen, was sie wollen und sind. »Das sind die Christen, die wissen, was sie wollen und sind und die es auch zu sagen wissen. Der erbärmlichste Eindruck, den man heute hat, ist der Eindruck des verschluckten Wortes. Daß wir alle fast ersticken an den Worten, die wir nicht zu sagen wagen.

Und das Zweite: die Übernahme der Verantwortung. Es gibt innerhalb der Kirche kein Recht auf absolute Sicherheit der Tröstung und kein Recht auf absolute Geborgenheit. Die Kirche ist die in die Welt hineinströmende Heilsquelle des Herrn. Und wenn wir das nicht annehmen, ist alles andere an der Wurzel falsch – und das muß zur konkreten Frage führen: Wo hat der einzelne die Verantwortung für diese Welt übernommen? Wo sind die Menschen, die noch einmal die Verantwortung für das innere Schicksal dieser Generation übernehmen? Und die zweite Frage ist, daß unsere Menschen an den Weltämtern sich eigentlich zerstreuen und verzetteln und über Dinge nachdenken, die nicht wesentlich sind. Wesentlich aber ist, daß der Mensch ein Stück Welt kennt. Und wir werden dann wieder Leute haben, die mit gutem Willen geladen sind, die an dem konkreten Leben ihren Glauben echt durchdacht haben ...« (III,414).

Alfred Delps Sicht der Situation von Mensch, Gesellschaft und Kirche erscheint vielleicht vielen hart und düster, ja pessimistisch und lähmend. Hart ist sie. Alfred Delp ist ein Mensch des Advent, der Zeit der Erwartung, der Bekehrung zur Hoffnung. Schon 1935 hat er in einer Predigtreihe die Verwerfung des Advent durch den Nationalsozialismus dargestellt. Als totalitäres System genügt es sich selbst und verwirft damit die Erwartung des Kommens Gottes, durch das allein Welt und Geschichte vollendet werden. Im letzten Advent seines Lebens greift er dies wieder auf: Advent, eine Zeit der Erschütterung, in der der Mensch wach werden soll zu sich selbst (IV,149). Das Bild des Rufenden in der Wüste, das er hier entwirft, ist wie ein Selbstportrait: »Die Johannesgestalten dürfen keine Stunde im Bild des Lebens fehlen. Diese geprägten Menschen, vom Blitz der Sendung und Berufung getroffen. Ihr Herz ist ihnen voraus und deswegen ist ihr Auge so hellsichtig und ihr Urteil so unbestechlich. Sie rufen nicht um des Rufens willen oder der Stimme wegen. Oder weil sie den Menschen die schönen Stunden der Erde neideten, da sie ja selbst ausgemeindet sind aus den kleinen trauten Kreisen des Vordergrundes. Sie haben den großen Trost, den nur der kennt, der die innersten und äußersten Grenzen des Daseins abgeschritten ist. Sie rufen den Segen und das Heil. Sie rufen den Menschen vor seine letzte Chance, während sie schon den Boden beben spüren und das Gebälk knistern und die festesten Berge innerlich wanken sehen und die Sterne des Himmels sogar in Ungeborgenheit hängend schauen. Sie rufen den Menschen in die Möglichkeit, die wandernde Wüste, die ihn überfallen und verschütten wird, aufzufangen durch die größere Kraft des bekehrten Herzens.

Ach Gott, der Mensch heute weiß es ganz praktisch wieder, was es heißt, Schutt wegräumen und Wege wieder eben zu machen. Er wird es noch lange Jahre wissen und tun müssen. Daß doch die rufenden Stimmen aufklingen, die die Wüste deuten und die Verwüstung von innen her überholen. Daß die Adventsgestalt des Johannes, des unerbittlichen Sendlings und Mahnboten im Namen Gottes, in unsererm Trümmerwüsten kein Fremdling bleibe. Von diesen Gestalten hängt viel ab für unser Leben. Denn wie sollen wir hören, wenn keiner ruft und das Toben der wild gewordenen Zerstörung und Verblendung wirklich überbietet?« (IV, 150–151).

Ab und zu macht Alfred Delp sich und seinen Hörern die Härte seiner Rede bewußt, doch nur, um zu zeigen, daß nicht Anklage oder gar Verurteilung sein Ziel ist: »Es geht darum, aus diesem inneren Elend herauszukommen und so dem äußeren Elend die inneren Quellräume zu versiegeln« (IV,198)

Der erfüllte Mensch aus einer diakonischen Kirche

Delps Vision von der Sendung der Kirche in einer erneuerten Gesellschaft

Delp kann mit solchem Engagement so schonungslos die Extremsituation schildern, da er darin nicht das Absurde, etwa im Sinne von Camus' Mythos des Sisyphos sieht. Die Erfahrung des Abgrunds wird für ihn zur Erfahrung der Wende. »Wir sind am Ende des Abstieges. Wir haben den Blick wieder ganz frei für die Notwendigkeit des Aufstieges in eine andere Welt, so daß gerade wir bedrohten Menschen von heute fähig geworden sind, die alte Botschaft vom neuen Leben, von einer neuen Lebensgrundlage zu hören und zu verstehen und lebendig und begierig aufzugreifen und anzunehmen« (I,45). So legt die unverstellte Erkenntnis und die radikale Einschätzung der Situation die einzige Grundlage der Rettung und deren Folgen offen.

Doch der Mensch sträubt sich zunächst dagegen: »Wir haben die gesamte Kreatur und das Universum durch diese banale Oberflächlichkeit und bürgerliche (wenn auch marschierende) Sattheit so gereizt und geärgert, daß sie uns inzwischen zum Fragen gebracht haben. Aber noch sind wir erst die Aufgeschreckten, die Gequälten, die Geschlagenen. Und nicht die, die die innere Frage bedrängt; über denen der Stern des Bundes neu stehen und leuchten könnte« (IV,204).

Delp weiß, daß er viel vom Menschen verlangt. Er verlangt, bis an die eigene Grenze zu gehen. In einer Meditation zum Epiphaniefest 1945 sagt er: »Die Menschen wagen es nicht mehr, die Grenzen ihrer Wirklichkeit ernsthaft und ehrlich abzuschreiten, weil sie die Entdeckung fürchten, die ihrer an den Grenzen warten. Der Mensch muß sich immer schon als unheimliches Wesen wissen, das sich ins Grenzenlose erstrecken muß, wenn es seinen eigenen Grenzen und Gesetzen treu und zu sich selbst kommen will. Gerade das fürchten wir aber: die Entdeckung des Ungeheuren und des Unendlichen, dessen wir fähig sind. Fähig und bedürftig. Hier wird über des Menschen Wert und Würde entschieden. Dem Menschen, der er selbst bis in seine äußersten Möglichkeiten werden will, kündet der Tag heute verschiedene Gesetze seines Lebens, die Vorbedingungen sind bzw. Kräfte und Ermöglichungen der geprägten, werthaltigen Individualität Mensch, um die es geht« (IV,216).

Wer sich auf das Wagnis, die eigenen Grenzen abzuschreiten, einläßt, kann für sich und andere die Erfahrung der einzigen Rettung machen. Die einzige und einzigartige Grundlage der Rettung des Menschen und seiner Gesellschaft ist der absolute transzendente Gott, Mitte und Ziel von allem und jedem, der Mensch wird, damit der Mensch in ihm wieder zu sich selbst kommen kann. In der Mitternachtsmette 1943 ist es das Anliegen Alfred Delps, dies in seiner Predigt den Menschen nahe zu bringen: »Wir wollen in dieser Stunde einmal all das zurückstellen, was die Kinderseligkeit dieses Festes ausgemacht hat, um den Wirklichkeiten selbst zu begegnen ... (Die Wirklichkeit ist) die große Tatsache, daß der Herrgott Mensch geworden ist, daß die alte Sehnsucht der Menschen in ungeahnter Weise erfüllt wurde, indem er uns gleichtat und unter uns anzutreffen ist und daß er ein Kind geworden ist. Dieser Anfang eines Menschenlebens, daß er so groß und selbstsicher sein Leben beginnt und so hilflos, um von unten her das Menschenleben mitzuerleben und Segen und Kraft zu geben. Daß er als Kind gekommen ist und nicht als Richter; denn wenn dessen Glanz aufstrahlt, dann müßte die Kreatur hinsinken. Aber er kam mit den hilflosen, zuversichtlichen Augen des Kindes, als der suchende Gott, der der Menschheit nochmals klar machen wollte, daß hinter uns ewig gilt der Heilswille des Herrn, daß er ist der Gott des Erbarmens, der sucht und erhört, als der Gott, der um unsere Grenzen, um unsere Wunden, um die Kläglichkeit und Erbärmlichkeit weiß, die mit einem Menschenleben gemeint sein können, der gekommen ist, um gesund zu machen. Daß dem Menschen endlich einmal die Gelegenheit gegeben wird, mit sich selber fertig zu werden und weiterzukommen. Das sind die Tatsachen: Gott, der als Kind, als suchender Herrgott gekommen ist. Tatsachen, die nicht irgendeinmal passiert sind, sondern in jener Nacht, als alles schlief, in der die Engel den Lärm der Welt in Lobgesang und Jubellieder an sich gerissen haben und allem Dasein eine neue Ordnung gegeben ward. Seitdem lebt der Mensch und bleibt nur Mensch, wenn er weiß, daß er vom Erbarmen, von der Gnade her lebt und nicht aus irgendeiner Verliebtheit zu sich selbst. Der Mensch lebt entweder in der gottmenschlichen Ebene oder er verliert sich selbst« (III,100–101).

Der suchende Gott ging dem Menschen nach bis in den Tod. Er ist *durch* diesen Tod gegangen, nicht an ihm vorbei oder neben ihm her. Er ging in diesen Tod und so durchschritt er ihn und offenbart sich als der Lebendige. Was an Weihnachten begann, führt durch den Karfreitag und die Grabesruhe des Karsamstag hinein in das Geheimnis von Ostern. »Jetzt erst, wenn diese Tatsachen vernommen sind, wenn das Ostergeheimnis für uns seelisches Ereignis ist, kann der Mensch sich ehrlich den Dingen ergeben und an den Dingen und Wirklichkeiten wach werden, und jetzt erst entzünden sich diese Osterhaltungen, die wir in uns wach werden lassen und gerade in diesen grauen Zeiten bewußt pflegen sollen. Der Mensch braucht heute nichts nötiger als die Gewißheit, daß es ihm den Atem nicht verschlägt, daß sein Herz und seine Lungen all diesen Dingen gewachsen sind und sie aushalten; jetzt erst kommt dieses Eine zum Bewußtsein, daß der Mensch festen Grund unter den Füßen hat, daß seit Christus das Dasein neu gegründet ist, daß der Tod nur noch Tor zu neuem Leben ist. Was wäre das Leben heute ohne diese Gewißheit, daß dies nichts Endgültiges ist, was da an zerschlagenem Menschentum landauf und -ab die Welt erfüllt mit Trauer und Wehmut, wenn wir dem als einer endgültigen Ordnung gegenüberstehen müßten! Wie wäre das Leben erwürgt und der Gewalt verfallen, wenn wir nicht die Gewißheit hätten, daß die Schuld, die eigene Not und die Schuld, die wie eine Lawine die Menschheit anfallen und zerreißen kann, daß dies Dinge sind, die grundsätzlich bereits behoben sind und die man tatsächlich immer wieder beheben kann; daß das Ohnmachtsgefühl des Menschen etwas ist, das nicht mehr am Platz ist. ›Ich kann alles in dem, der mich stärkt.‹ « (III,207).

Dadurch ist der Mensch und seine Welt zur Freiheit befreit – zur Freiheit für alles und für jeden, zur Freiheit gegenüber allem und gegenüber jedem. »In diesen Wochen der Gebundenheit habe ich dies erkannt, daß die Menschen immer dann verloren sind und dem Gesetz ihrer Umwelt, ihrer Verhältnisse, ihrer Vergewaltigungen verfallen, wenn sie nicht einer großen inneren Freiheit und Weite fähig sind. Wer nicht in einer Atmosphäre der Freiheit zuhause ist, die unantastbar und unberührbar bleibt, allen äußeren Mächten und Zuständen zum Trotz, der ist verloren. Der ist aber auch kein wirklicher Mensch, sondern Objekt, Nummer, Statist, Karteikarte.

Dieser Freiheit wird der Mensch nur teilhaft, wenn er seine eigenen Grenzen überschreitet. Er kann dies auch in unzulässiger, empörerischer Weise versuchen. Aber gerade der im Menschen schlummernde Blitz zur seinshaften Meuterei zeigt, wie sehr des Menschen Wesen darauf angelegt ist, aus seinen Grenzen herauszukommen. Den Rebellen kann man noch zum Menschen machen, den Spießer und das Genießerchen nicht mehr.

Die Geburtsstunde der menschlichen Freiheit ist die Stunde der Begegnung mit Gott. Ob Gott nun einen Menschen aus sich herauszwingt durch die Übermacht von Not und Leid, ob er ihn aus sich herauslockt durch die Bilder der Schönheit und Wahrheit, ob er ihn aus sich selbst herausquält durch die unendliche Sehnsucht, durch den Hunger und Durst nach Gerechtigkeit, das ist ja eigentlich gleichgültig. Wenn der Mensch nur gerufen wird und wenn er sich nur rufen läßt!« (IV,217).

Damit ist für Alfred Delp das zu erreichende Ziel klar: Theonomer Humanismus. Dorthin führt nur ein Weg: die Erziehung des Menschen zu Gott. Beides sind Titel von Reflexionen über die Zukunft, die Alfred Delp noch nach der Verurteilung im Gefängnis anstellte. Sie zeigen, wie sehr ihn dieses Anlegen bewegt: »Der Mensch soll und will noch einmal werden. Er zerstört sich selbst, weil er sich nur als Mensch meinte und nur in der Kraft und Ordnung des Menschlichen. Der Mensch ist falsch und unglücklich, allein mit sich selbst. Es gehört der andere Mensch dazu, es gehört die Gemeinschaft dazu, es gehört die Welt dazu und der Dienst an ihr – und es gehört das Ewige dazu. Nein, der Ewige. Es soll die Zeit des theonomen Humanismus werden« (IV,310).

Hier greift er Gedanken auf, die im Kreisauer Kreis für die Grundlagen einer Neuordnung Deutschlands nach dem Zusammenbruch des Nazireichs bedeutsam waren. Man merkt Delps Einfluß heraus, wenn es in der letzten Fassung des Grundlagendokumentes des Kreises in der Schlußbemerkung heißt: »Überhaupt kann eine echte Erneuerung in allen genannten Lebensbereichen nur gelingen, wenn die Religion, diese Zentralkraft des ganzen menschlichen Lebens, in den Herzen der Menschen lebendig ist. Nur wenn im Namen Gottes die Geister gerufen, die Gewissen erweckt und gebildet und die Menschen verpflichtet werden, werden die Völker den Weg zurückfinden zu den naturgegebenen echten Ordnungen, die Ordnungen Gottes des Herrn sind, und sich entschließen, alles an die Verwirklchung dieser Ordnungen zu setzen, weil sie wissen, daß dieser Einsatz echter Gottesdienst ist. Das Wort des Herrn ›Ich will, daß sie das Leben haben‹ gibt uns die Gewähr, daß die Menschen im Namen und in der Kraft Christi zurückfinden werden zum Frieden Christi im Reiche Christi. Der Friede Gottes: das ist die Gerechtigkeit unter den Menschen und die Rettung der Völker« (IV,395).

Die wichtigste und zentrale Aufgabe, auch für eine soziale, wirtschaftliche und politische Neuorientierung und Neuordnung ist für Alfred Delp die Erziehung des

Menschen zu Gott. Er stellt sich die Frage: Was muß zuerst und grundlegend geschehen? Hier hat er eine eindeutige Option: Veränderung und Neuorientierung der Verhältnisse und der Menschen, die in und unter ihnen leben, kann *nur* durch Menschen geschehen. »Es muß eine Schicht Menschen geben, die das Ganze übersehen, um die Zusammenhänge wissen, die Verflechtungen kennen und die Wirklichkeitsfülle in all ihren Erscheinungen bis in den Grund verfolgt haben, in dem alles mit Gott zusammenhängt und von ihm getragen wird. Diese Menschen müssen sich in zwei Ordnungen des Daseins vertiefen: der Erkennung und Anerkennung Gottes, also der eigentlichen Religiosität – und der Erkennung und Anerkennung der sachhaften Ordnungen des menschlichen Lebens und des Menschen selbst« (IV,314).

Daß der Mensch wieder Mensch wird, bedeutet für Alfred Delp, daß die religiösen, das sind die an Gott gebundenen Menschen, zu dem Menschen gehen, der an der Straße liegt in psychischer und physischer Not und Ausgesetztheit. Dies meint Delp wohl auch mit dem Stichwort vom personalen Sozialismus, den er in der verlorengegangenen Schrift »Die dritte Idee« näher ausgeführt hat.

In der Spannung zwischen religiöser Bindung und Hingabe für den Menschen sieht Delp auch die Aufgabe, ja die Überlebenschance der Kirche. »Das Schicksal der Kirchen« nennt er eine auch im Gefängnis verfaßte Reflexion der Zukunft. Er ist sich bewußt, daß die Kirche dabei eine Hypothek der Vergangenheit mit sich trägt. »2000 Jahre Geschichte sind nicht nur Segen und Empfehlungen, sondern auch Last und schwere Hemmung. Und gerade in den letzten Zeiten hat ein müde gewordener Mensch in der Kirche auch nur den müde gewordenen Menschen gefunden. Der dann noch die Unehrlichkeit beging, seine Müdigkeit hinter frommen Worten und Gebärden zu tarnen« (IV,318–319).

Eines ist für Delp eine Selbstverständlichkeit: »Wenn die Kirchen der Menschheit noch einmal das Bild einer zankenden Christenheit zumuten, sind sie abgeschrieben. Wir sollen uns damit abfinden, die Spaltung als geschichtliches Schicksal zu tragen und zugleich als Kreuz. Von den heute Lebenden würde sie keiner noch einmal vollziehen. Und zugleich soll sie unsere dauernde Schmach und Schande sein, da wir nicht imstande waren, das Erbe Christi, seine Liebe, unzerrissen zu hüten« (IV,319).

Zwei Dinge sind für die Kirche notwendig. Einmal die Rückkehr in die Diakonie, d. h. sie muß sich zu den Menschen gesellen, auch in seine äußersten Verlorenheiten und Verstiegenheiten. »Geht hinaus« – nicht »setzt euch hin und wartet ab, bis einer kommt« – hat Christus gesagt.

Dies ist nur möglich, »wenn aus der Kirche wieder erfüllte Menschen kommen ... nicht die pfarrerhörigen und erschreckten Kreaturen ... Ob die Kirchen den erfüllten, den von göttlichen Kräften erfüllten, schöpferischen Menschen noch einmal aus sich entlassen, das ist ihr Schicksal ... Die Wucht der immanenten Sendung der Kirche hängt ab vom Ernst ihrer transzendenten Hingabe und Anbetung.

Der anmaßende Mensch ist schon in der Nähe der Kirche immer vom Übel, geschweige denn in der Kirche oder gar im Namen der Kirche oder als Kirche« (IV,321, 323).

»Es sollen einmal andere besser und glücklicher leben dürfen, weil wir gestorben sind« (IV,110)

Das Zeugnis Alfred Delps als Vermächtnis und Auftrag

In dem Brief, den Alfred Delp aus dem Gefängnis an sein Patenkind Alfred Sebastian schrieb, das er niemals sehen sollte, wird m. E. am besten deutlich, was er selbst als Auftrag und Vermächtnis ansah: »Ja, mein Lieber, ich möchte Deinem Namen auch noch eine Last, ein Erbe zufügen. Du trägst ja auch meinen Namen. Und ich möchte, daß Du verstehst, was ich gewollt habe, wenn wir uns nicht richtig kennenlernen sollten in diesem Leben; das war der Sinn, den ich meinem Leben setzte, besser, der ihm gesetzt wurde: die Rühmung und Anbetung Gottes vermehren; helfen, daß die Menschen nach Gottes Ordnung und in Gottes Freiheit leben und Menschen sein können. Ich wollte helfen und will helfen einen Ausweg zu finden aus der großen Not, in die wir Menschen geraten sind und in der wir das Recht verloren, Menschen zu sein. Nur der Anbetende, der Liebende, der nach Gottes Ordnung Lebende, ist Mensch und ist frei und lebensfähig. Damit habe ich Dir etwas gesagt, was ich Dir an Einsicht und Aufgabe und Auftrag wünsche« (IV,140–141).

So eindringlich dieser Text ist, darf er dennoch nicht die Frage verdrängen, die sich heute – mehr als 40 Jahre nach Alfred Delps Tod – stellt. Können wir seinen Auftrag und sein Anliegen einfach auf die Heutigen und Künftigen übertragen? Schließlich trennt uns von ihm mehr als eine Generation. Die Erfahrung eines totalitären Systems mit all seinen Schrecklichkeiten hat die heutige Generation der jungen Eltern und Jugendlichen nicht gemacht. Eine solche Erfahrung ist – wenn überhaupt – dann nur begrenzt zu vermitteln.

Von Delp trennt uns aber auch eine unterschiedliche Situation. Die Grundforderungen des Kreisauer Kreises sind erfüllt: der demokratische Rechtsstaat mit unabhängiger Justiz und der Möglichkeit freier parlamentarischer Opposition. Was wir heute erleben dürfen, ist nirgends und in nichts zu vergleichen mit dem, was Delp und seine Zeitgenossen erfahren und erlebt haben.

Auch die Kirche nach dem 2. Vatikanischen Konzil hat sich gegenüber der Kirche zur Zeit des Nationalsozialismus in wichtigen Punkte geändert. Wie Delp heute zur Kirche stehen würde, wissen wir nicht. Vermutungen helfen hier nicht weiter.

Ist damit die heutige Situation gegenüber der, die Delp erlebt hat und beschreibt, so grundlegend geändert, daß wir sein Zeugnis und seinen Widerstand bewundern, uns davon ermutigen lassen können, ohne daß es uns aber möglich wäre, das, was ihn bewegte, in heutiger Zeit aufzugreifen? Bei genauerem Blick auf unsere Situation wird deutlich, daß in den vergangenen Jahrzehnten bei allen Veränderungen das, was Delp bewegte und sein Anliegen war, eher noch dringlicher geworden ist.

Zwei Beispiele mögen dies erläutern. Unsere Gesellschaft hat nach der Befreiung von der entwürdigenden Knechtung des totalitären nationalsozialistischen Regimes, das sich zum allein maßgebenden Mittelpunkt für alles erklärt hatte, nicht den entscheidenden Durchbruch in ihrer transzendenten Mitte gefunden, zu Gott, der allein alles zusammenhält. Der Pluralismus unterschiedlichster Weltanschauungen ist so dominant geworden, daß in unserer Gesellschaft Grundwerte wie

z. B. der Wert des Lebens, etwa des ungeborenen Lebens, bei uns theoretisch und praktisch nicht mehr konsensfähig sind. Der Mensch ist durch seine wissenschaftlichen und praktischen Erkenntnisse zu Möglichkeiten gelangt, die er vorher in dieser Weise nicht besaß. Diese Möglichkeiten können sich für die Zukunft positiv, aber auch negativ, ja zerstörerisch auswirken. Dabei wird es entscheidend sein, daß der Mensch aus sittlicher Verantwortung heraus nicht all das, was er tun kann, auch tut. Die Frage, die viele besorgt, manche resigniert und pessimistisch stellen, lautet: wo findet der Mensch die Maßstäbe für ein sittliches Handeln, von dem die Zukunft der menschlichen Gesellschaft und der Welt abhängt.

Bei verschiedenen Neujahrsempfängen vergangener Jahre konnte man immer wieder den Aufruf zum Optimismus hören, in dem Pessimismus und Resignation zu überwinden scien. Es bleibt aber die Frage, worin solcher Optimismus gründet? »In einem unabdingbaren Vertrauen in die Technik, die dem Menschen Möglichkeiten eröffnet, wie nie zuvor«, wie ein Redner bei solchen Veranstaltungen meinte? Dieses Vertrauen ist nicht zu teilen. Es hängt an einer höchst fragwürdigen Bedingung, nämlich am Menschen, der bisher alles, was er konnte, tat, auch das Schrecklichste.

Alfred Delps theonomer Humanismus, in dem der Mensch menschlich ist und bleibt, weil er an Gott und seine Ordnung gebunden ist und nur so der Welt als Gottes Schöpfung in Freiheit begegnen kann, hat unverminderte Aktualität. Er ist für die Heutigen und unsere Gesellschaft zur Lebens- und Überlebensfrage geworden. Die Kirche ist in dieser Stunde genauso gefragt wie vor 40 Jahren, ob sie die Spannung aushält und aus der Fülle des Geistes sich für den am Straßenrand verwundeten Menschen drangibt.

So ist die Frage an die Kirche, die Frage an uns selber. In einer Predigt am 28. Juni 1941 hat Alfred Delp sie so formuliert: »So ist die Frage: Kirche, bist du tot? eine Frage an uns selber. Wir sind als Christen, als Menschen der Kirche nicht mit einem Garantieschein versehen für ein gutes Schicksal. Die ersten drei Jahrhunderte zeigen uns immer wieder das Bild: Die Kirche fährt als Schiff auf dem Meer, geschmückt mit dem Kreuzesmast. Das bedeutet immer wieder ein Bluten, ein Versinken in Einsamkeit. Unsere Taufe ist eine Taufe auf den Tod, aber auf den Tod zum Leben. Die Kirche ist nicht da für ein paar fromme Stunden, sondern um uns in die göttlichen Dimensionen hineinzureißen, damit wir leben als Sterbende und so sterbend gewinnen. So heißt die Antwort auf die Frage: Kirche, wirst du leben oder sterben? so: Die Kirche wird leben, wenn wir wieder vor den Herrgott hingeraten und von ihm angerührt und erfüllt sind, so daß wir bereit sind, für ihn zu sterben. Aus dem Tod zum Leben kommen, das soll unser Geheimnis sein. Wenn uns diese große Bereitschaft nicht gelingt, wenn wir den Raum für den Herrgott nicht mehr erobern, dann hilft uns nichts mehr. Die Grundfrage ist: Ob wir noch einmal groß genug sind, das, was mit Kirche gemeint ist, zu leisten. Kirche wird leben, wenn wir unseren Herrgott wieder einmal gern haben, so persönlich gern haben, daß wir bereit sind, für ihn zu sterben« (III,243).

Alfred Delp hat seine Antwort am 2. Februar 1945 gegeben. Unsere Antwort steht noch aus. Es hängt viel davon ab. Delps Antwort ist den Heutigen Verheißung und Ermutigung.

[1] Alle Stellenhinweise beziehen sich auf: Alfred Delp, Gesammelte Schriften, hrsg. von Roman Bleistein, Band I–IV, Frankfurt 1982–1984.

[2] Roman Bleistein SJ, Jesuiten im Kreisauer Kreis, in: Stimmen der Zeit 200 (1982) 596 f.

[3] Mehr systematisch führt Alfred Delp diese Gedanken in seiner Auseinandersetzung mit der Philosophie Martin Heideggers aus: Tragische Existenz. Zur Philosophie Martin Heideggers, Freiburg 1935; vgl. II 45–46. Hier weist er Luther einerseits und Kant andererseits eine entscheidende Stellung in dieser geistesgeschichtlichen Entwicklung zu.

[4] Zur heutigen Diskussion vgl. Dieter Henrich, Die Grundstrukturen der modernen Philosophie, in: Selbstverhältnisse, Stuttgart 1982, 83–108; Robert Spaemann, Die christliche Religion und das Ende des modernen Bewußtseins, IkaZ 8 (1979) 251–270.

Gotthard Fuchs

Missionsland Deutschland. Zur theologischen Ambivalenz der bürgerlichen Gesellschaft

Alfred Delp als Herausforderung.

Am 9. und 10. Januar 1945 stand Alfred Delp unter Anklage vor dem Volksgerichtshof. Aus der Gerichtsverhandlung ist ein kurzer Wortwechsel zwischen Roland Freisler und dem Angeklagten überliefert. Auf die Frage des Gerichtsvorsitzenden, warum er sich als Priester auf den Kreis um Helmut von Moltke eingelassen und in die deutsche Politik eingemischt habe, antwortete Alfred Delp: »Solange der Mensch menschenunwürdig und unmenschlich leben muß, so lange wird der Durchschnitt den Verhältnissen erliegen und weder beten noch denken. Es braucht die gründliche Änderung der Zustände des Lebens ...« (I, 37).[1] In dieser Antwort steckt der ganze Delp, sofern man sein gewaltsam abgebrochenes Lebenswerk als ganz bezeichnen darf. Dem Christen und Theologen Delp sind die Zustände des Lebens insgesamt nicht gleichgültig. Weit entfernt davon, den christlichen Glauben pietistisch zu verstehen und die, auch von Freisler, gewünschte Spaltung zwischen privater Lebensgestaltung und gesellschaftlicher Nicht-Verantwortung sich anzueignen, besteht Delp darauf, daß der Glaube an Gott den Menschen in seiner Ganzheit ebenso betrifft wie die Lebensverhältnisse, ja die Weltgeschichte als ganze. Nicht minder bezeichnend ist deshalb Alfred Delps Sorge um die Herstellung und Bewahrung von Lebensverhältnissen insgesamt, dank derer alle Menschen menschenwürdig leben können und nicht »den Verhältnissen erliegen«. Delp zeigt sich hier, wie sein Leben lang, von der sozialen Frage umgetrieben und sorgt sich darum, daß alle Menschen ihre Identität in Freiheit und Gerechtigkeit miteinander und füreinander ausbilden können. Staatliche, wirtschaftliche und ideologische »Verhältnisse« dürfen nicht fremdbestimmende, ja unterdrückende Gewalt über die Menschen gewinnen. Deren Menschlichkeit ist, auch dies ist typisch für Delp, nur gewährleistet, wenn sie beides können: beten und denken. Entscheidungs- und Reflexionskraft schließen für ihn den Vollzug des Betens nicht aus, im Gegenteil, sie fordern und erschließen einander. In seiner Vater-Unser-Meditation drückt Alfred Delp denselben Zusammenhang mit den Worten aus: »Brot ist wichtig, die Freiheit ist wichtiger, am wichtisten aber die ungebrochene Treue und die unverratene Anbetung« (IV, 236) – keines ohne das andere. Nochmals mit seinen Worten: »Die Problematik der Staaten sowohl wie des Kontinents ist, grob gesagt, dreimal der Mensch: wie man ihn unterbringt und ernährt; wie man ihn beschäftigt, so daß er sich selbst erkennt: die wirtschaftliche und soziale Erneuerung; und wie man ihn zu sich selbst bringt: die geistige und religiöse Erweckung« (IV, 82).[2]

Im folgenden sollen Delps Diagnose und Therapie in Kürze rekonstruiert werden, um deren Aktualität zu prüfen. Zählt Delp doch zu jenen Christen, die sich frühzeitig und mit Leidenschaft daran gemacht haben, inmitten einer extremen Unrechtssituation Prinzipien und Konkretionen einer sozial und individual gerechten Gesellschaft auszuarbeiten und dabei insbesondere den Auftrag der Kirchen, in seinem Falle speziell der katholischen Kirche, konkret zu entfalten. Man darf ihn mit

Fug und Recht einen Kirchenvater der katholischen Kirche des 20. Jahrhunderts nennen und wird zu prüfen haben, wieweit sein Erbe über 40 Jahre danach schon eingelöst ist oder noch der Entdeckung harrt. Sofern man bisher von einer Delp-Rezeption überhaupt sprechen kann, bezieht sie sich fast ausschließlich auf den Beter und Märtyrer Delp, nicht aber auf den Zeitanalytiker und Kirchenkritiker. Wenn die Rückfragen an das Lebenswerk von Delp unter dem Stichwort der bürgerlichen Gesellschaft und auch Kirche erfolgen, so ist dies ebenso in der Sache selbst wie in den Schriften Delps begründet. Bezeichnenderweise mitten in einer ausführlichen Meditation über das Wirken des Heiligen Geistes kann Delp z. B. – im Gefängnis und mit gefesselten Händen – schreiben: »Der bürgerliche Lebensstil hat einmal seine Größe und seine Sendung gehabt. Er war immer gefährdet und gefährlich, weil seine Größe immer mit der menschlichen Schwäche im Bündnis war und dauernd die Möglichkeit bestand, daß sich der Mensch der Güter, die der bürgerliche Mensch anhäufte, die er braucht zur Erfüllung von Auftrag und Sendung, bemächtigte, um in ihnen zu bleiben. Das war dann die Erstarrung und der Kältetod. Der Bürgersinn für die größere Verantwortung starb und übrig blieb der bürgerliche Hunger und Durst nach Wohlfahrt, Pflege, Ruhe, Bequemlichkeit, gesichertem Besitz« (IV, 299). Delp gehört also keineswegs zu jenen, die die Kategorie des Bürgerlichen von vornherein negativ qualifizieren.[3] Er sieht Größe und Elend der bürgerlichen Welt gleichermaßen; er ist dem auf der Spur, was man heute die Dialektik des Fortschritts und der Aufklärung nennt: »Bürgersinn für die größere Verantwortung«, also Freiheit, Gleichheit, Geschwisterlichkeit, Menschenrechte usf.; negativ aber das egoistische Besitz-

und Machtstreben, Selbstverwirklichung im großen und kleinen auf Kosten anderer. Einem heutzutage beliebten theologischen Trend entgegen, der den Ertrag der bürgerlichen Freiheits- und Fortschrittsgeschichte wie selbstverständlich pejorativ beurteilt, wird es also zunächst darauf ankommen, Delps Aussagen dazu im Rahmen seiner geschichtsphilosophischen und anthropologischen Überlegungen zu entfalten. In einem zweiten Teil wird dann eigens von der Kirche unter den Bedingungen der bürgerlichen Lebenswelt zu sprechen sein. Im dritten Teil sollen dann jene Lösungsansätze dargestellt werden, an denen Delp bis zu seinem allzufrühen Tod leidenschaftlich gearbeitet hat.

I. Gesellschaft als geschlossenes System

»Das gegenwärtige Weltverständnis wurzelt in zwei Tatsachen: 1. in dem Verlust des Zutrauens zu sich selbst, zu seinen tragenden geistigen Kräften, das man bei den modernen Menschen beobachten kann; 2. in dem äußeren Erlebnis der Zusammenbrüche der innerweltlichen Sicherheiten. Bei einer totalen Verwertung aller inner- und außerweltlichen Grundlagen erleben wir gleichzeitig einen Heißhunger nach der Welt. Der Heißhunger nach dem Besitz der Welt ist dem modernen Menschen das größte Anliegen. Sein ganzes Sehnen und Streben geht danach, ein geborgenes, sicheres Leben zu führen; er möchte Ordnung in der Welt haben, um diese Welt zu besitzen und zu genießen.« (I, 289)

Dieses Zitat aus einem Vortrag des Jahres 1942 veranschaulicht, mit welchen Kategorien Delp den Zustand und auch die Genese der Gesellschaft seiner Zeit zu fassen versucht. Schon seit seiner Arbeit über Heidegger hatte er in vielfältigen Studien und Veröffentlichungen die Zeichen der Zeit zu eruieren versucht. Dabei diagnostiziert er für die Neuzeit und auch für die Gegenwart eine leidenschaftliche Zuwendung des Menschen zur Gestaltung der Welt und zur Verwirklichung seiner selbst. Der Heißhunger nach Leben, der Wille zur selbsttätigen Freiheit, die Kraft zur wissenschaftlich-technischen Gestaltung werden von ihm durchaus positiv gewürdigt und wahrgenommen. Die »Tat und Tatbegeisterung des modernen Menschen« (I, 267) offenbaren ihm etwas von der Größe des neuzeitlichen Subjekts. So kann er z. B. in der Betrachtung des Oberst Lawrence von Arabien voller Zustimmung das Bild jenes Menschen zeichnen, der sich mit Leidenschaft der Erde hingibt und in der realen Geschichte schöpferisch verschwendet. »Mystik der Erde«, »Mystik der Sachlichkeit« (II, 221) lautet die Losung. Mit Nachdruck verwahrt sich Delp gegen eine Diskreditierung dieser neuzeitlichen Freiheitsgeschichte im Namen einer vermeintlichen Frömmigkeit. »Wir treiben heute oft ein Spiel mit den Untergängen. Wir machen aus jedem Versagen und jeder erlebten Kontingenz eine Notwendigkeit.« (I, 274) Diese »Totalisierung des Karfreitags«, diese apokalyptische Eindunkelung der neuzeitlichen Geschichte ist nach Delp nicht sachgemäß und verrät zudem keinen österlichen Glauben. Nachdrücklich gilt es vielmehr, die Leidenschaft des neuzeitlichen Menschen »zum Menschen, zur Welt und ihrer Köstlichkeit« (III, 184) zu würdigen. Die daraus resultierende Kraft zeigt sich für ihn in der Entdeckung und Durchsetzung bürgerlicher Freiheiten und Menschenrechte, im expansiven Selbstbewußtsein der Geistes- und vor allem der Naturwissenschaften und ihrer Anwendung in Technik und Industrie.

Daneben freilich, ja in dialektischer Wechselbeziehung damit, diagnostiziert Delp eine Nachtseite der bürgerlichen Emanzipationsgeschichte, deren Folgen in der Gegenwart fatale Züge annehmen. Denn was seit Renaissance und Reformation im Gange ist und als bürgerliche Welt beschrieben werden kann, hat durch und durch egoische und possessive Struktur. »Das Leben spricht ein totales Ja zu sich und nur zu sich, d. h. aus eigener Einsicht und Zuständigkeit. Diese Entscheidung bedeutet eine restlose Verschlossenheit des Lebens in sich selbst, in seine Größe und Schwäche, in seine Höhe und in seinen Absturz.« (I, 267) Der neuzeitliche Mensch definiert sich als »totaler Arbeiter« (I, 286), als einer, der die ganze Welt vor den Richterstuhl seiner theoretischen und praktischen Vernunft zitiert und aus sich und allem allererst etwas schaffen muß. Ein schier »hemmungsloser Emanzipationswille« und ein »gesteigerter Individualismus« sind die Folge (II, 145). »Der einzige Geltungsgrund für eine Wirklichkeit liegt in der Steigerung der Lebendigkeit und Tüchtigkeit des betreffenden Subjekts.« (I, 266) Ohne daß er sich auf Nietzsche bezieht, rekonstruiert Delp die Dialektik der Aufklärung und des Fortschritts als Willen zur Macht. Sowohl die Außenwelt wie die Innenwelt werden nurmehr in Funktion zum macht- und besitzorientierten Wirken des Menschen gesehen. »Verstand, Vernunft, Gemüt sind eigentlich nur noch Larven zur Intensivierung des Faktischen« (IV, 312), und alles wird unter ein »vitales Apriori« (I, 272) gestellt. Die Folge ist die »endgültige Verzweckung alles geistigen Lebens« (I, 268). Alles gerät in den Bannkreis einer subjektivistischen und konkurrenzorientierten Mittel-Zweck-Relation. „Jeder versucht mit letzter Leidenschaft, einen Fetzen dieser Erde an sich zu bringen und für sich zu sichern.« (III, 184) »Immer meinen wir uns, unsere Ertüchtigung, unsere Selbstverwirklichung, unseren Lebensraum usw. Alles wird auf uns als Mitte hinbezogen.« (IV, 199) Die gesellschaftliche Lebenswelt wird zu einer »geschlossenen Kugel« (I, 268), deren Jenseits der eingeschlossene Mensch nicht mehr erreichen kann.[4]

Worin der Mensch zu Beginn der Neuzeit seine Größe entdeckte, im unendlichen Vermögen seiner Freiheit und Gestaltungsmacht, darin wird er nun immer mehr heimatlos und haltlos (I, 270, II, 266). Er ist, so scheint es, der Dynamik seiner eigenen Möglichkeiten in dem Maße nicht gewachsen, in dem ihr eine transzendente Verankerung fehlt. Im Bannkreis »totaler Immanenz« (I, 290) verliert der selbstbewußte und sich selbst bestimmende Mensch schließlich doch das Vertrauen in seine Möglichkeiten, und »die Eiseskälte der absoluten Innerirdischkeit« (IV, 211) macht sich breit. »Das naturhafte Selbstvertrauen, das die Menschen nach dem Rückzug aus dem geistlichen Ordo und der metaphysischen Ganzheit (sc. des Mittelalters) noch geblieben war, wurde endgültig erschüttert.« (I, 270) Delp diagnostiziert also die Aporien der Gegenwart im nationalsozialistischen System nicht als schicksalhaftes Zufallsprodukt blinder geschichtlicher Mächte und auch nicht nur als Untat einiger weniger. In den Erschütterungen seiner Zeit erkennt er vielmehr die Folgen der tiefen Ambivalenz neuzeitlicher Freiheitsgeschichte selbst. Dabei, das sei noch einmal betont, liegt Delps Analyse keinerlei religiös verbrämter Geschichtspessimismus zugrunde, dem meist eine moralistisch defensive Apologetik korrespondiert. Gerade aber, wenn man die Größe bürgerlicher Selbstbestimmung und Weltgestaltung voll zur Kenntnis nimmt und würdigt, wird man um so mehr auf die Nachtseite dieser Entwicklung gestoßen und kann ihr nach Delp nicht ausweichen. Von der Krise der neuzeitlichen Emanzipationsgeschichte her, die er mitbetroffen und mitleidend diagnostiziert, muß er nun freilich um so mehr die Aporien des Ganzen und die Not der betroffenen Opfer beschreiben. In kürzester Zusammenfassung bringt er »das Geheimnis der leeren Mitte« (II, 145), durch die Welt und Mensch zum Opfer ihres eigenen Machtwillens geworden sind, so zur Sprache: »Das Menschenbild dieser geschichtlichen Spanne zeigt die immer eindeutigeren Symptome einer tödlichen Verkümmerung und Verkrüppelung. Auch hier können und brauchen nicht alle Epochen und Stationen aufgezählt zu werden. Es genügt, die hauptsächlichsten Nöte zu zeigen: Mensch der wachsenden Einsamkeit: Auflösung der Ordnungen, der Gesellschaft, der echten Bindungen. Mensch der wachsenden Ohnmacht: politisch – wirtschaftlich – in der Geschichte – sittlich. Mensch der wachsenden Veräußerlichung: Flucht in die Sensation, die Unterhaltung, etc. Mensch der wachsenden Vermassung: Verlust des eigenen Gesichts, Entstehung des Typs. Mensch der wachsenden Gnadenlosigkeit: Erbarmungslosigkeit.« (IV, 246) Der bürgerliche Mensch, dessen Größe also die Entdeckung von Freiheit, Gleichheit und Geschwisterlichkeit war und dessen positives Erbe nicht verraten werden darf, ist zur tragischen Karikatur seiner selbst geworden. Delp spricht von der »kleinbürgerlichen Idylle« (II, 259), von der »onkelhaften Eigenliebe des Bürgers« (IV, 327), vom »Spießer und Genießerchen« (II, 217). Es ist der Mensch, der sich um schier jeden Preis selbst sichert und versichert, dem zu allem konformistisch etwas einfällt, der ohne Mitte standpunktlos zum Mitläufer im Gleichschritt wird. Dieser Mensch ist strukturell krank und neurotisch, hat das Vertrauen in sich verloren, und seine anfängliche Grandiosität ist in depressive Anpassung umgeschlagen.[5] Er ist nur mehr »Objekt, Nummer, Statist, Karteikarte« (IV, 217).

Was diesem spätbürgerlichen Menschen in dem ihm wie fremd gegenüberstehenden geschlossenen Gesellschaftssystem an Reaktion nach Delp noch übrig bleibt, reduziert sich auf drei Möglichkeiten: Entweder führt es zur totalen Resignation, die sich in Gleichgültigkeit gegenüber der realen Geschichte äußert, oder es führt zur Flucht in die scheinbar entlastenden Kollektive, zumal des Nationalsozialismus; schließlich mag drittens, wenngleich nur für einzelne und wohl in realgeschichtlicher Ohnmacht der heroisch-tragische Aufstand des Subjekts in der Manier eines Ernst Jünger oder Martin Heideggers in Frage kommen: Existential heroischer Tragizismus, Kollektivismus oder Depression. Nur in der Bindung an eine transzendente Mitte, die dem endlichen Menschen Halt und Zuversicht gäbe, liegt nach Delp die wirklich erlösende Alternative, die den Ertrag bürgerlicher Freiheitsgeschichte wahrt und beschützt – eine »Mystik der Erde« im Namen des transzendenten, geschichtsmächtigen Gottes allein. »Die Kirche hat (deshalb) in diesen Tagen die ungeheure Chance, sich dem Gedächtnis der Kreatur unverlierbar einzuprägen, wenn und weil sie die mutige Verteidigung der bedrohten Kreatur war.« (I, 282) Wird sie diese Chance nutzen können?

II. Bürgerliche Kirche

»Wir haben durch unsere Existenz dem Menschen das Vertrauen zu uns genommen. 2000 Jahre Geschichte sind nicht nur Segen und Empfehlungen, sondern auch Last und schwere Hemmung. Und gerade in den letzten Zeiten hat ein müde gewordener Mensch in der Kirche auch nur den müde gewordenen Menschen gefunden, der dann noch die Unehrlichkeit beging, seine Müdigkeit hinter frommen Worten und Gebärden zu tarnen. Eine kommende ehrliche Kultur- und Geistesgeschichte wird bittere Kapitel zu schreiben haben über die Beiträge der Kirchen zur Entstehung des Massenmenschen, des Kollektivismus, der diktatorischen Herrschaftsform usw.« (IV, 318 f.) Noch angesichts des Todes und wenige Wochen vor seiner Hinrichtung faßt Delp prophetisch die Krise seiner gegenwärtigen Kirche zusammen. Betroffen von der Not der Mitmenschen und der Gesamtgesellschaft, konstatiert er eine eigentümliche Ängstlichkeit und Hilflosigkeit bei Christen und Kirchen. Aber auch diese wird von ihm nicht einfach schicksalhaft hingenommen, sondern in ihrer historischen Genese analysiert und mit dem Anruf des Evangeliums kontrastiert. Denn die Kirchen sind faktisch mit hineinverwickelt in die Ambivalenz der bürgerlichen Gesellschaft und haben aktiv und passiv daran Anteil. »Die Kirche hat ihren eigenen Beitrag geleistet zur Entstehung und zur Entartung des bürgerlichen Menschen. Und der bürgerliche Mensch hat nicht versäumt, sich in der Kirche breit zu machen und die Ideale der menschlichen Schwäche: Besitz, Macht, gepflegtes Dasein, gesicherte Lebensweise innerhalb des kirchlichen Raumes anzusiedeln.« (IV, 300) Die (bürgerlich gefährdeten) Kirchen sind nach Delp zu sehr mit sich selbst beschäftigt, sie lassen sich kaum oder zu wenig auf die Nöte der Mitmenschen ein. Bestenfalls reagieren sie. »Die heilende und stärkende Kraft des spezifisch Christlichen wirkt sich nicht aus, weil wir sie nicht besitzen.« (I, 271)

Weil die Kirchen und die Christen zu sehr und zu ausschließlich mit ihren Binnenproblemen beschäftigt sind, haben die ratlosen Zeitgenossen, leidenschaftlich unterwegs auf der Suche nach Auswegen aus ihrer Not, doch das Vertrauen zur Kirche verloren. Dies liegt nach Delp sicherlich auch an der inneren Haltlosigkeit und Orientierungsbedürfigkeit des neuzeitlichen Menschen, es liegt aber vor allem an den Kirchen selbst. »Uns fehlt irgendwie der große Mut, der nicht aus dem Blutdruck oder der Jugendlichkeit oder ungebrochener Vitalität, sondern aus dem Besitz des Geistes und dem Bewußtsein des Segens, der uns zuteil geworden ist, kommt. Und deshalb haben wir Angst und begeben uns auf die Flucht.« (I, 278) Man träumt dann kirchlicherseits von einer besseren Vergangenheit oder beklagt die böse Gegenwart, aber man ist nicht in der Lage, den Notruf der Zeitgenossen zu erhören. »Unsere Problematik erwächst oft rein aus der innerkirchlichen Situation und nicht aus dem drängenden missionarischen Dialog mit dieser Zeit.« (I, 275) Es fehlt kirchlicherseits eine »neue schöpferische Begegnung zwischen Idee und Not.« (IV, 324) Was dringend gefordert ist, wäre eine radikal diakonische Kirche, die sich der orientierungslosen und suchenden Mitmenschen mit apostolischer Kraft annähme. »Es wird (nämlich) kein Mensch an die Botschaft vom Heil und vom Heiland glauben, so lange wir uns nicht blutig geschunden haben im Dienste des physisch, psychisch, sozial, wirtschaftlich, sittlich oder sonstwie kranken Menschen. Der Mensch heute ist krank.« (IV, 319)

Aber wird eine bürgerliche Kirche, die so sehr mit sich und ihren kleinen Fragen und Andachten beschäftigt ist, dazu in der Lage sein? So lange sich die Kirche als eine Gemeinschaft präsentiert, deren Kardinaltugend die Angst ist (IV, 209) und die an der Krankheit des verschluckten Wortes (III, 414) leidet, wird sie ihren Auftrag zeitgemäß kaum erfüllen können. Die Kirchen scheinen sich vielmehr durch die Art ihrer historisch gewordenen bürgerlichen Lebensweise im Wege zu stehen. Eine radikale Bekehrung zu einer nicht mehr bürgerlichen, missionarischen Frömmigkeit tut not, wobei es für Delp sehr fraglich ist, ob Christen und Kirchen aus sich heraus zu solcher Umkehr in die gesellschaftliche Diakonie (und Prophetie!) noch fähig sind. Er rechnet vielmehr damit, daß es für den einzelnen Christen wie für die Kirche insgesamt eines göttlichen Gerichtes bedarf. »Ich glaube, überall da, wo wir uns nicht freiwillig um des Lebens willen von der (bürgerlichen) Lebensweise trennen, wird die geschehende Geschichte uns als richtender und zerstörender Blitz treffen. Das gilt sowohl für das persönliche Schicksal des einzelnen kirchlichen Menschen wie auch für die Institutionen und Brauchtümer. Wir sind trotz aller Richtigkeit und Rechtgläubigkeit an einem toten Punkt.« (IV, 321) Delp hat sogar den Mut, ein Theologumenon der alten Kirche aufzugreifen und sich und seine Mitchristen zu fragen, ob die Kirche in Deutschland sterben könne, ja sterben müsse. Unbeschadet der Gewißheit, daß die Heilszusage der Kirche in der Welt insgesamt gilt, rechnet er damit, daß z. B. in Europa die Kirche aussterben könne (vgl. III, 234). Sie wird in ihrem Erscheinungsbild zu sehr bloß von Klugheit und Taktik bestimmt, sie ist nur rechthaberisch mit ihren eigenen Traditionen beschäftigt, ihre Sprache wird von den Zeitgenossen kaum verstanden (II, 275 ff.).

Dabei kommt dem kirchlichen Amt eine besondere Aufgabe zu. Freilich: »Das Amt ist in Verruf und muß sich neu legitimieren.« (IV, 316) Wo die Amtsträger das typisch bürgerliche Gerangel um Positionen und um Imagebildung mitmachen und sich der Eigengesetzlichkeit des Bürokratischen anheim geben, werden sie nicht überzeugen können. Verkündigung und geistliche Führung müssen vielmehr aus einer in Christus verwurzelten selbstlosen Radikalität kommen und den Mut zur konkreten Stellungnahme einschließen. Oft genug ist die kirchliche Verkündigung »in einem unechten Sinn ›überzeitlich‹« (I, 276), nachdem sie zuvor des öfteren zu jeder Kleinigkeit amtlich Stellung genommen hatte. »Die Menschen fragen oft, warum die Kirche sich früher um die Ordnungen und Maße ihrer Kleidung bekümmerte und jetzt manchmal den Eindruck erwecke, als ob sie sich um die Ordnungen und Maße ihres täglichen Lebens und Leidens weniger kümmere« (I, 275). Delp zweifelt keinen Augenblick daran, daß die Ämter in der Kirche ihre besondere Verheißung und Funktion haben. Sie »sind innerlich vom Geist geführt und verbürgt. Aber die Amtsstuben! Und die verbeamteten Repräsentanten. Und die so unerschütterlich-sicheren ›Gläubigen‹!« (IV, 212) Dabei hat das schwankende Verhalten der Amtsträger theologisch wie beispielhaft ambivalente Folgen. Wird dort Verantwortung in concreto gemieden, so geht der Vorbildcharakter für die Gläubigen verloren, und weitere Unmündigkeit ist die Folge. »In einer Zeit, die den Christen vereinzelt, muß diese Unfähigkeit zur einsamen und persönlichen Verantwortung und Entscheidung verhängnisvolle Folgen nach sich ziehen. Hier liegt einer der Gründe, warum unsere Menschen mehr als normal nach kirchlichen Weisungen und Worten schreien und warum das oft begründete Schweigen der Kirche Erschütterungen auslöst, die nicht mehr verständlich sind« (I, 273 f.). Diese autoritäre Erwartungshaltung kann sich auch kirchlich in kollektivistischen Tendenzen äußern, z. B. in der »Flucht ... in das beruhigende und bergende Wir«, in das warme Nest der liturgizistisch (oder charismatisch oder politisch!) enggeführten Kleingruppe (I, 272 f.).

Solch selbst- und kirchenkritische Reflexionen stehen für Delp – nicht nur literarisch, sondern theologisch – im Zusammenhang mit den Meditationen über das Vater Unser und über das Wirken des Heiligen Geistes in der Welt. Dieses wird für ihn konkret in jener Freiheit, die zugleich Distanz und Solidarität mit der gegenwärtigen Gesellschaftssituation ermöglicht und ein Höchstmaß von Kirchenbindung und Kirchenkritik freisetzt. Die bürgerliche Mentalität in Staat und Kirche, bei Einzelnen und Gruppen, erscheint ihm im Lichte des Glaubens an die Realpräsenz Gottes und seines Geistes in der Geschichte als größte Gefahr für den Glauben. Im Blick auf den bürgerlichen Menschen und die bürgerliche Kirche stellt Delp – sofern man mit Bürgerlichkeit eben nicht gesamtgesellschaftliche Solidarität, sondern Eigennutz und Sicherungsdenken verbinden muß – eine fatale Selbstverhärtung fest. »Daß da ein Menschentyp geworden ist, vor dem selbst der Geist Gottes, man möchte sagen ratlos steht und keinen Eingang findet, weil alles mit bürgerlichen Sicherheiten und Versicherungen verstellt ist, darf nicht nur als Erscheinung der Vergangenheit gewertet werden« (IV, 299). Dieser bürgerlich sich einrichtende Mitläufermensch ist »das ungeeignetste Organ des Heiligen Geistes«[6] (IV, 212). Je mehr Christen umgekehrt sich von Gottes Geist, der durch die Propheten spricht, wecken und beunruhigen lassen, desto mehr kann und muß die Kirche zu einem befreienden Ferment in der Gesellschaft als ganzer werden und die notwendigen Reform- und Wandlungsprozesse einleiten. Bezugspunkt bei diesem christlichen und kirchlichen Wirken sind aber nicht die Sonderinteressen der Kirche selbst, sondern, nach Delp, die Not der Mitmenschen und das Wirken des Geistes, der in die Wahrheit Jesu einführt. Dabei wird alles darauf ankommen, daß Christen und Kirchen nicht länger »Mißtrauen gegen die schöpferischen Kräfte des Menschen« hegen (I, 272) und die Lichtseite der neuzeitlichen Freiheitsgeschichte und damit auch die Größe des Bürgerlichen voll zur Geltung bringen. Als Grundsatz muß für die Kirchen und für jeden Glaubenden gelten: »Kein Ressentiment und kein Liebäugeln mit Getto und Katakomben« (I, 201). Für Delp ergibt sich daraus die theologische und pastorale Konsequenz, daß »die sogenannten rein religiösen Bemühungen um den Menschen heute . . . unfruchtbar . . . (sind), da sie den Menschen nicht in der Fülle seiner Not treffen, sondern, obwohl sie von der Mitte reden, doch an der Peripherie bleiben« (IV, 316). Delps beunruhigte und beunruhigende Frage ist allerdings, ob und inwieweit die katholische Kirche – und die Kirchen – zu dieser missionarischen Erneuerung fähig sind und zu einer nachbürgerlichen Kultur der Liebe und der Gerechtigkeit für alle beitragen können.

III. Theonomer Humanismus – personaler Sozialismus

Sowohl Diagnose wie nun auch Therapievorschlag basieren für Delp auf einer fundamentalen geschichtsphilosophischen Überzeugung: »Die Stunden und geschichtlichen Wirklichkeiten seines Schicksals wählt der Mensch sich nicht selbst. Die sind ihm vorgegeben, und ihm bleibt nur die Aufgabe, damit fertig zu werden« (II, 240). Im Gang der Geschichte aber ist, für die Augen des Glaubens zumal, immer schon der suchende Gott unterwegs zu dem Menschen, und umgekehrt ist der Mensch unterwegs mit seiner Frage nach Gott. »Darum gibt es keine sinnlose, gottlose Zeit. Es gibt keine Geschichte als Gefängnis, in das wir eingefangen sind« (I, 294).[7] Delp widersteht lebenspraktisch wie theologisch der so naheliegenden Gefahr einer fatalistischen Geschichtsdeutung; er wehrt sich aber nicht minder gegen eine triumphalistische Geschichtstheologie. Dank der endgültigen »Eingeschichtlichung Gottes« (IV, 189) sieht er Christen und Kirchen zu der Hoffnung befähigt und verpflichtet, an die prinzipielle Offenheit der Geschichte zu glauben und ihr denkend und handelnd zu entsprechen.[8] Deshalb liegt ihm jede pessimistische Deutung auch der bürgerlichen und faschistischen Zeit fern. Auch die kritischsten Äußerungen dazu stehen unter dem inkarnatorischen Vorzeichen und im österlichen Licht. Dies freilich entbindet nicht von dem Eintritt in das wirkliche Dunkel realgeschichtlicher Entscheidung und Verantwortung, die im Zeichen des Kreuzes zu bestehen sind. Im Schnittfeld dieser Spannung steht die Bewältigung der jeweils unwiderruflichen und konkret aufgegebenen Situation. Diese »bedeutet ja gerade die Fügung der Umstände zum Anruf an die menschliche Entscheidung« (II, 335) und die Bereitschaft, in ihr Gottes Anruf zu hören und zu beantworten. »Die Nähe Gottes ist eine suchende Nähe und wer von dieser Nähe erfahren hat, wird zugleich in die Unermüdlichkeit, mit der Gott zum Menschen drängt, mit hineingerissen. Und hat in der begnadeten

Unruhe zum Menschen hin zugleich ein Anzeichen, wieviel er verstanden hat vom eigentlichen Geheimnis, das zwischen Gott und dem Menschen gilt« (IV, 191). Weil der Christ nach Delp an Gottes Suchbewegung in der Geschichte der Menschen aktiv und passiv teilnehmen darf, wird er in die konkrete Situation und in die konkrete Zeit hineingerufen, voller Solidarität und in leidenschaftlicher Zeitgenossenschaft. Nichts wäre deshalb fataler, als eine zeitenthobene, im schlechten Sinn idealistische Glaubenshaltung. Diese würde letztlich der typisch bürgerlichen »Verflüchtigung des ganzen Christus in den Biedermann des guten Beispiels und der frommen Ermahnung« (IV, 190) entsprechen und nochmals ein Symptom für die bürgerliche Gefangenschaft der Kirche sein.

Die programmatischen Perspektiven, die Delp unter diesen geschichtstheologischen Voraussetzungen für einen erneuerten deutschen Staat und eine entsprechend nachbürgerliche Kirche entwickelt, sind von ihm selbst unter den Stichworten »theonomer Humanismus« und »personaler Sozialismus« zusammengefaßt (IV, 325). Auch wenn die Schrift »Die dritte Idee«, in der Delp sich dazu ausführlich geäußert hat, verlorengegangen ist, lassen sich wichtigste Gesichtspunkte rekonstruieren. Sie hängen innerlichst mit der Analyse der bürgerlichen Lebenswelt und ihre Ambivalenz zusammen. Letztere besteht, wie beschrieben, darin, daß der Mensch seine eigene, absolut gesetzte Freiheit letztlich nur aushält um den Preis der Selbst- und Weltzerstörung. Menschsein kann, nach Delp, nur gelingen, wenn der einzelne und das Gemeinwesen sich eingebunden wissen in die transzendente Wirklichkeit eines bejahenden und fordernden, eines Liebe und Gerechtigkeit letztlich erst ermöglichenden Gottes. »Auf die Dauer ist nur der Christ Mensch. Das aber zugleich: Mit dem Menschen stirbt der Christ« (I, 282). Deshalb ist Anbetung für Delp keineswegs ein privater und isolierter Frömmigkeitsakt, sondern realgeschichtliche Einübung der Anerkennung Gottes zugunsten gelingenden Menschseins. Solch theonome Bindung an Gott behindert die Menschwerdung des Menschen und die Weltwerdung der Welt gerade nicht, sondern fördert und fordert sie. In diesem Sinne plädiert Delp nachdrücklich für eine ganzheitliche Bildung des Menschen, die seine naturwüchsige Vertrauensfähigkeit, seine Beziehungsfähigkeit und seine Weltverantwortung fördert und ihn gerade so auch gottesfähig macht. War doch die Krankheit des neuzeitlichen Menschen sein angsthaftes Sicherungsbedürfnis und die darin sich ausdrückende Vertrauensunfähigkeit, so daß Delp auch von der Gottunfähigkeit sprechen mußte. So lange Gott bestenfalls noch als fordernder und fremdbestimmender im Blick war, war der Mensch, historisch fast notwendig, genötigt, sich seine Autonomie gegen diesen Gott zu erstreiten, auch um den Preis der Gottlosigkeit und Gottunfähigkeit. Wird aber Gott, im Sinne des Evangeliums und einer ihm entsprechenden kirchlichen Praxis, zuerst als suchender Gott erfahrbar, der das Gelingen des Menschen in seiner Welt will, dann kann die angsthaft sich verschließende Abwehrhaltung des Menschen erlöst werden. Ein daraus resultierender – eben theonomer – Humanismus würde dem legitimen Selbstverwirklichungsbedürfnis des neuzeitlichen Menschen entsprechen und Kriterien für eine wirklich solidarische und gerechte Lebensordnung ermöglichen. Unter dieser Voraussetzung, daß Religion, zumal christliche, »die Zentralkraft menschlichen Lebens« (IV 387) sei, hat

Delp im Kreisauer Kreis mitgearbeitet und Vorschläge zu einer neuen Sozialordnung entwickelt.[9]

Untrennbar von dem entfalteten Programmwort »theonomer« Humanismus ist Delps Perspektive des »personalen Sozialismus«. Ist doch eine Aporie der bürgerlichen Gesellschaft ein ökonomisch orientierter liberalistischer Individualismus, demzufolge das Bedürfnis jedes einzelnen mit dem aller anderen konkurriert. Deshalb scheint es Delp, auch unter Berufung auf die kirchliche Soziallehre, geboten, für Sozialismus zu plädieren. Eine »freischwebende Subjektivität« (IV, 207) im Geistigen und ein possessiver Individualismus im Materiellen sind weder mit dem Ideal der Aufklärung von Gleichheit und Solidarität vereinbar noch mit den Maximen christlichen Glaubens. Da es umgekehrt aber, im dialektischen Gegenschlag zu einem liberalistischen Humanismus, Tendenzen zum Kollektivismus gibt, die Delp im Kommunismus verwirklicht sah, besteht er zugleich auf dem personalen Moment im christlichen Sozialismus. So fragmentarisch und zeitbedingt auch immer, deutlich ist Delps Bemühen, die zerstörerischen Einseitigkeiten der faktischen bürgerlichen Geschichte zu überwinden und aus den Impulsen christlichen Glaubens ein zeitgemäßes Alternativkonzept zu entwickeln. Hierin wird er selbst zum Zeugen dessen, was er konzeptionell beschreibt und empfiehlt: Sein theonomer Humanismus äußert sich biografisch in der gelebten Spannung von Anbetung und Widerstand, von Kirchenbindung und Kirchenkritik. Weil tief und bis in letzte Einsamkeiten hinein auf Gott bezogen und von ihm her lebend und sterbend, kann er sich angstfrei und schöpferisch auf die Fragen seiner Zeit einlassen. Weil im Zentrum gebunden und geistlich konzentriert, kann er bis an die Peripherie und bis zum Äußersten gehen:

gerade weil auf Gott bezogen ganz der Sorge um Welt und Mensch hingegeben. Wenn Delp vom »Sozialismus des Minimums« (IV, 310) spricht und damit die Basis einer universalen Solidarität im Umgang mit Wissen, Macht und Geld meint, dann läßt sich auch dieses Programm durchaus lebensgeschichtlich lesen. Spätestens im Gefängnis hat er selbst dafür einzutreten.

Delp war sein Leben lang ein Mensch des Advent, der sich bewußt den Fragen seiner Zeit und seiner Kirche stellte. In den bestehenden Verhältnissen suchte er jene Tendenzen und Ansätze, Hoffnungen und Leiden, in denen er das Wirken von Gottes Geist zu erkennen sich mühte und denen er zu entsprechen versuchte – jenes Geistes, der das Angesicht der Erde verändern will und der deshalb die schöpferische Unruhe zumal in der Kirche ist. Im Sinne dieser adventlichen Aufbruchshaltung konnte Delp sagen: »Wir (Christen) sind die einzigen, die es immer wieder wagen, ganz von vorne zu beginnen und auszuwandern« – aus pharaonischen und babylonischen Verhältnissen (IV 238). Diese Exodus-Perspektive entspricht durchaus der Diagnose, daß Deutschland – aufgrund der Ambivalenz der bürgerlichen Emanzipationsgeschichte – »Missionsland geworden (sei) . . . Missionsland darf man (aber) nur betreten mit einem echten Missionswillen, das heißt mit einem Willen, an den anderen Menschen auf allen Wegen sich heranzupirschen und ihn zu gewinnen für Gott den Herrn. Defensive ist Verlust und Verzicht auf unser Eigentliches. Die Situation wird grundlegend nicht durch Verhandeln geändert, sondern durch die Bekehrung. Wer aber denkt über die Bewahrung des schwindenden Volkes hinaus an die Eroberung, an die systematische und planmäßige Gewinnung der anderen Menschen?« (I, 280) – und dies nicht aus ekklesialem Imperialismus oder missionarischer Gewalttätigkeit, sondern um einer gerechteren Welt willen und zur Wahrung wie Wiederherstellung der Würde jedes Menschen und aller Kreatur.

[1] Alle in Klammern im Text angegebenen Belegstellen beziehen sich auf die von Roman Bleistein herausgegebene Ausgabe von Alfred Delp: Gesammelte Schriften I–IV, Frankfurt 1982–1984, die eine theologische und ekklesiale Delp-Rezeption allererst ermöglicht und in Gang gebracht hat. Auch der vorliegende Versuch, eine Zentralperspektive aus Delps Werkfragment herauszuarbeiten, wäre ohne die zahlreichen einschlägigen Arbeiten Roman Bleisteins, dem dafür ausdrücklich gedankt sei, nicht denkbar.

[2] In diesem Zitat und auch in den folgenden Argumentationsgängen wird schlaglichtartig etwas von der Fremdheit und der historisch-hermeneutischen Distanz zwischen Delp und uns deutlich: die selbstverständliche Rede von »dem« Menschen dürfte jedem Theologen, der seine Lektion auch bei Marx und Freud gelernt hat, vergangen sein. Es wäre sehr viel genauer zu schauen, von welchem Menschen mit welcher Biografie und welcher Schicht- bzw. Klassenzugehörigkeit die Rede sein soll. Hier und im folgenden ist stets zu bedenken, wie sehr Delp von der neuscholastischen Philosophie und Theologie geprägt war und welchen Mutes es für ihn bedurfte, das Gelände der Sozialphilosophie und Soziologie zu betreten. Man denke nur, zum Vergleich in Sachen systematischer Theologie, an einen Karl Rahner mit kaum 40 Jahren. Es bewegt, in den späten Schriften bei Delp den Satz zu lesen: »Ich hoffe sehr, daß Karl Rahner theologisch das schafft« (IV, 326) – was nämlich für die Erneuerung von Orden (und Kirche) notwendig ist. Die Frage, wo Delp heute stünde, führt schmerzlich in das Dunkel jener Glaubens- und Leidensgeschichte, die Delp zu erhellen und zu bewältigen entschlossen war.

[3] Eine ausgewogene und informative Zusammenstellung zur Verhältnisbestimmung »Bürgertum und Christentum« gibt Werner Müller in: Christlicher Glaube in moderner Gesellschaft 18, Freiburg 1982, 6–58 (Lit.).

[4] Es wäre eine eigene Studie wert, den Quellen Delps genau nachzuforschen, mit Hilfe derer er seine Rekonstruktion der neuzeitlichen Geistesgeschichte (von einer Sozialgeschichte war noch keine Rede) geleistet hat. Sicherlich dürfte Dilthey – ähnlich wie bei Bonhoeffer – eine Schlüsselrolle zukommen, abgesehen vom neuscholastischen »Schulkontext«. Bedeutsam ist zweifellos auch Delps Heidegger-Arbeit, als Faktum in sich wie vom Inhalt her erstaunlich, und folgenreich für seine Darstellung der Neuzeit.

[5] Interessant und notwendig wäre ein Vergleich von Delps Begriff von Bürgerlichkeit mit der klassischen Theorie der bürgerlichen Gesellschaft in Hegels »Grundlinien der Philosophie des Rechts« von 1821 – dies um so mehr, als Delp sich darauf in einem Aufsatz von 1940 (wenngleich eher kursorisch?) bezieht (vgl. II, 291). Auffällig ist jedenfalls, daß es in der Sache deutliche Berührungspunkte und Übereinstimmungen gibt; hatte doch Hegel die bürgerliche Gesellschaft als ein »System allseitiger Abhängigkeit« (§ 183), als ein ökonomisches »System der Bedürfnisse« (§ 189 ff.) analysiert und seinerseits schon darauf hingewiesen, wie eine egoisch definierte Individualität faktisch notwendig in strukturelle Konkurrenz mit anderen Bedürfnissubjekten geraten müsse. Wie ein dunkler Schatten folgt dem Bedürfnis nach humaner Selbstverwirklichung die Tendenz zur Ausschließung des Anderen, der prinzipiell ein Feind meiner Freiheit sei und deren Machtsteigerung im Wege stehe. Nur durch starke regulative Instanzen im Äußeren (nicht zuletzt der Staat mit Polizei und Militär) wie im Inneren (eben die Kirche als moralische Anstalt der Civil Religion) könne diese strukturell besitzergreifend-gewalthafte und egoische Struktur des bürgerlichen Bewußtseins balanciert und gebändigt werden. Diese Analyse bürgerlicher Religion und Kirche gilt dabei unbeschadet der Unterstreichung des Freiheitsertrages bürgerlicher Revolutionen, zu dem nicht zuletzt die Ausdifferenzierung der Gesellschaft in verschiedene Subsysteme selbst gehört, unter denen die Kirche eines ist. Selbstverständlich ist auch die Unterscheidung von Staat und Gesellschaft, von öffentlicher und privater Lebenssphäre ein nicht hintergehbarer Fortschritt. Aber die Ambivalenz, die ebenfalls Delp – wenngleich kategorial und analytisch

wesentlich unfertiger – herausarbeitet, ist ebenso unbestreitbar wie folgenreich bis heute, sowohl für die Genese des Faschismus wie für die Verhältnisbestimmung von Staat und Kirche in einer freiheitlich demokratischen und bürgerlichen Gesellschaftsordnung. – Vgl. dazu als Einführung neben Müller (Anm. 3) bes. M. Riedel: Bürgerliche Gesellschaft und Staat, Neuwied 1970; P. Eicher: Bürgerliche Religion. Eine Theologische Kritik, München 1983; J. B. Metz: Jenseits bürgerlicher Religion, Mainz–München 1980; Dieter Schellong: Bürgertum und christliche Religion, München 1975.

[6] Ich verzichte hier wie auch im übrigen notgedrungen darauf, Querverbindungen zur heutigen theologischen Diskussion und kirchlichen Wirklichkeit en détail herzustellen. M. W. fehlt bisher z. B. eine im Sinne Delps konkrete Pneumatologie, die sich zugleich als theologische Analyse der hiesigen Gesellschaft verstünde. Ansätze dazu, etwa bei Moltmann, leiden m. E. daran, daß man, um mit Pascal zu sprechen, das Elend des Bürgerlichen nur um den Preis aufweist, daß man dessen Größe vernachlässigt und verdrängt – obwohl doch keiner der schreibenden theologischen Analytiker behaupten könnte, schon das nachbürgerliche oder gar antibürgerliche Stadium christlicher Existenz und Theorie erreicht zu haben. (Der Verfasser dieser Zeilen betont dieses Dilemma für sich ausdrücklich.)

[7] Delps Rede vom suchenden Gott und seinem strömenden Heilswillen zugunsten aller (z. B. IV, 200 ff.) steht offenkundig im Kontrast zur Verkündigung von einem primär fordernden und richtenden Gott (IV, 318). Zusammen mit seiner Theologie und Praxis der Anbetung – »das gebeugte Knie und die hingehaltenen leeren Hände sind die beiden Urgebärden des freien Menschen« (IV, 218) – ist dies Delps Antwort auf die (bürgerliche) Tendenz zur Funktionalisierung Gottes, der »in die Grenzen und Schranken unserer Nützlichkeit, unserer Eigenart, unseres Empfindens, unserer Selbstverwirklichung usw. eingesperrt und eingeengt wird« (IV, 200). Die Kehrseite dessen ist der in sich verschlossene Mensch, »der schon lange keine Botschaften mehr vernommen (hat), die anzuhören sich verlohnt hätte« (IV, 201). – Auch hier wären die sachlichen Berührungspunkte zur

Rede des späten Bonhoeffer vom ohnmächtigen Gott genau zu bedenken und zu erforschen.

[8] Für die Geschichtstheologie und -philosophie Delps vgl. K. H. Neufeld: Delps Idee der Geschichte. Ihr Werden und ihre Grundzüge, München 1983.

[9] vgl. dazu bes. die Arbeiten von R. Bleistein, u. a.: Jesuiten im Kreisauer Kreis, Stimmen der Zeit 200 (1982) 595–607; ders.: Glaubenszeugnis im Widerstand, ebd. 202 (1984) 219–226. Wichtig auch R. Bleistein: Alfred Delp und der 20. Juli 1944. Ergebnisse aus neueren Forschungen, Zeitschrift für Kirchengeschichte 97 (1986) 66–78. – Verwiesen sei auf die in der Einleitung genannte Dokumentation von Augustin Rösch: Kampf gegen den Nationalsozialismus, Frankfurt 1985. Es wäre eine eigene Arbeit wert, den Zusammenhang von der Auffassung der bürgerlichen Gesellschaft (und Mentalität) einerseits und der Analyse des Faschismus sowie seiner produktiven Alternativen in den Exposés des Kreisauer Kreises andererseits gemäß Alfred Delps Werk herauszuarbeiten.

Heinrich Missalla

Christsein und Widerstehen

Am 7. Dezember 1941 hielt Pater Alfred Delp eine Predigt über Johannes den Täufer. Sie erinnern sich: Herodes hatte die Frau seines Bruders geheiratet und damit das Gesetz gebrochen. Der Prophet trat vor den König und sagte ihm ohne Rücksicht auf die Konsequenzen für sich selbst: »Es ist dir nicht erlaubt« (Mk 6,18). Wegen dieser Vorhaltung wurde Johannes im Kerker des Herodes ermordet, sein Haupt wurde einer Tänzerin auf einer silbernen Schüssel präsentiert. In seiner Predigt sagte Alfred Delp: »Keine Aussichtslosigkeit und keine Erfolgslosigkeit entbindet den Menschen davon, zu sagen, was ist, und zu sagen, was falsch ist und einzutreten für das, was recht und richtig ist ... Wer vom Erfolg her denkt, von der Aussichtslosigkeit oder Erfolgssicherheit einer Sache seine Entscheidung, seine Haltung abhängig macht, der ist schon verdorben ...«[1]

Drei Jahre später saß er selber im Gefängnis und schrieb mit gefesselten Händen seine Briefe und Notizen, Meditationen und Reflexionen über die Zukunft. Er war 37 Jahre alt, als er nach einem makabren Prozeß »voller Haß und Feindseligkeit«[2] am Morgen des 2. Februar 1945 gehängt wurde. Delp mußte sterben, weil er – so seine eigenen Worte – sich weigerte, das »Dogma« von der »Drei-Einigkeit« von »NSDAP – Drittes Reich – Deutsches Volk«[3] anzuerkennen. Seine Asche wurde auf Befehl des »Führers« auf den Rieselfeldern Berlins verstreut.

Nach seiner Verurteilung hatte der Priester und Jesuit geschrieben: »Wenn ich sterben muß, ich weiß wenigstens warum. Wer weiß das heute von den vielen?«[4]

Der Sinn des Gedenkens an Alfred Delp und Dietrich Bonhoeffer kann nicht sein, sich auf ein geistiges Verweilen bei der Vergangenheit oder bei den Toten zu beschränken. Eine unverbindliche Erinnerung erreicht weder die Toten noch hilft sie den Gegenwärtigen. Ein Gedenken im Sinne der Bibel meint, die Vergangenheit in die Gegenwart zu holen und sie darin wirken zu lassen. Erinnerung geschieht um der Erkenntnis der Gegenwart willen und soll die Basis für ein Tun, ein Handeln ergeben.[5]

Die Vorlesungsreihe, in der diese Überlegungen zum ersten Mal vorgetragen wurden, trug die Überschrift: »Christlicher Glaube – Einspruch und Widerstand damals und heute«. Damit ist zunächst angesprochen, was Christen über alle Zeiten und Kontinente verbindet: der gemeinsame Glaube an Jesus Christus als den Herrn, der allein Anspruch hat auf vollen und ungeteilten Glaubensgehorsam. Es wird aber auch gesagt, daß Glauben etwas mit Einspruch und Widerstand zu tun hat. Diese Zusammengehörigkeit reicht tiefer, als man zunächst vermutet. Darüber wird im folgenden nachzudenken sein. Das »damals und heute« spricht zunächst eine nur zeitliche Differenz an. Doch es muß nicht nur deutlich ausgesprochen, sondern für die folgenden Überlegungen auch festgehalten werden, daß wir uns über den zeitlichen Abstand hinaus in einer völlig anderen geschichtlichen Situation befinden. Der Einspruch und Widerstand Bonhoeffers, Delps und vieler anderer galt einem menschenverachtenden, Menschen zerstörenden System, in dem das Recht auf eine unsägliche Weise pervertiert und sowohl das eigene Volk als auch andere Nationen gewissenlos dem eigenen Machtgelüst geopfert wurden. Wir hingegen leben in einer Republik, die sich in ihrem Grundgesetz »zu unverletzlichen und unveräußerlichen Menschenrechten als Grundlage jeder menschlichen Gemeinschaft, des Friedens und der Gerechtigkeit in der Welt« bekennt (GG Art. 1 Abs. 2). In unserem heutigen Staatswesen mit seinen Verfassungsgrundsätzen und -garantien kann es sich trotz aller offenen und verborgenen Mängel allenfalls um »Einspruch und Widerstand« gegen einzelne politische Maßnahmen oder Gesetze *im* Rechtsstaat handeln.

Wenn sich also das »Damals« vom »Heute« so grundsätzlich unterscheidet, wie ist dann Delps Widerstand mit heutiger Problematik zusammenzubringen? Besteht nicht die Gefahr, ihn auf eine unzulässige Weise in Anspruch zu nehmen, ihn und seinen Tod zu mißbrauchen? Um dieser Gefahr zu entgehen und um jeder Versuchung zu wehren, damaligen Widerstand und heutige Formen der Verweigerung kurzschlüssig gleichzusetzen, müssen wir uns den Weg Alfred Delps, seine Fragen und den Ansatz seines Denkens vergegenwärtigen. Auf diese Weise wird sich zeigen, daß er mehr ist als ein Opfer, dessen man sich in Ehrfurcht erinnert, daß seine Überlegungen und sein Schicksal vielmehr sehr beunruhigende Fragen an uns enthalten.

Alfred Delp (1907–1945)

Der geborene Mannheimer gehörte während seiner Gymnasialzeit dem katholischen Jugendbund Neudeutschland an, einer Gemeinschaft in der Jugendbewegung, deren Name auch etwas von ihrem Programm erkennen läßt. Die Orientierungslosigkeit des modernen Menschen sollte durch eine neue soziale Ordnung und durch eine feste Bindung an das Christentum überwunden werden. Unmittelbar nach dem Abitur trat Delp in den Jesuitenorden ein und durchlief die im Orden übliche Ausbildung, die sich über etwa 13 Jahre erstreckt. Wie viele andere seiner Generation verband er mit dem Jahr 1933 die Hoffnung auf eine umfassende nationale Erneuerung, auf ein neues Deutschland, an dessen Aufbau und Gestaltung auch Christen mitarbeiten könnten und müßten. Doch die tatsächliche Entwicklung ließ ihn 1936 schreiben: »Es sieht nach Sturm aus, nach Vernichtung, ein wenig nach Untergang.«[6] 1935 hatte er ein vielbeachtetes Buch über die Philosphie Martin Heideggers veröffentlicht, eine von ihm verantwortete Predigtreihe in der Zeitschrift »Chrysologus« trug den bezeichnenden Titel »Kirche in der Zeitenwende«. Ab 1939 war er als Redakteur bei den von Jesuiten herausgegebenen Zeitschrift »Stimmen der Zeit« bis zu deren Verbot 1943 tätig. Seine dort veröffentlichten Aufsätze sind ebenso wie seine späteren Vorträge für die heutige Generation nicht ganz einfach zu verstehen, weil Delp sich in den die damalige katholische Philosophie und Theologie bestimmenden neuscholastischen Denkmustern bewegt und weithin eine entsprechende Terminologie verwendet. Gleichzeitig aber – und das macht das Besondere und Erregende an Delp aus – bahnt sich ein neues Verständnis von Welt und Geschichte an, für das die traditionellen Kategorien nicht ausreichten. Seine Auseinandersetzungen mit Kierkegaard und Ebner, mit Dilthey und Heidegger sind überall erkennbar. In einem Aufsatz von 1939 »Christ und Gegenwart« fragt er: »Wie stehen wir als christliche Menschen in der Geschichte, das heißt je in unserer Gegenwart?«[7] Er will herausfinden, »was denn die ›vox temporis‹ rufe, das als ›vox Dei‹ gehört werden müsse«.[8] Er will der Gefahr oder dem Mißverständnis entgehen, »unser Christentum neben die Zeit zu setzen oder in einem luftleeren Raum zu versuchen«.[9] Delp wehrt sich gegen eine

»Auswanderung aus der Zeit« und sagt von denen, die Welt und Geschichte in ihren Ansprüchen nicht ernst nehmen: »Sie machen aus der Kirche doch die desinteressierte Arche, die birgt und die mit dem Strom, auf dem sie fährt, nicht allzu viel zu tun hat.«[10] Er ist der Überzeugung, daß der Weg zum Heil in der »Bewährung innerhalb der Geschichte« besteht[11], die in ihren konkreten Konstellationen im Hier und Jetzt den Christen herausfordert, seiner Sendung »in der je fälligen Gestalt« gerecht zu werden.[12] »Der Vollzug der ethisch-religiösen Bindung muß in der Meisterung der Situation bestehen.«[13] An zahlreichen Stellen seiner Reflexionen über die Geschichte bedenkt er das Problem der richtigen Erkenntnis einer Situation und die Risiken einer Fehleinschätzung und eines Irrtums.[14] Und er spricht vom »Mut zur Ohnmacht und zur Einsamkeit«. Die Konsequenz seiner Überlegungen war der Weg in den Widerstand.

Alfred Delps Tätigkeit an der kleinen St. Georgskirche in München-Bogenhausen seit 1941 gab ihm die Möglichkeit zu vielen Reisen für Vorträge und Gespräche. Über die Hauptarbeitsstelle für Männerseelsorge in Fulda kam er mit Männern des Widerstandes aus der katholischen Arbeiterbewegung zusammen, seit 1942 arbeitete er im Kreisauer Kreis mit, jener Gruppe der Widerstandsbewegung, die sich auf Gut Kreisau des Grafen Helmuth von Moltke in Niederschlesien traf und zu der Persönlichkeiten verschiedener gesellschaftlicher und politischer Gruppierungen gehörten. Hier versuchte man für die Zeit nach der Nazi-Herrschaft das Konzept einer erneuerten rechtsstaatlichen und humanen Lebensordnung zu erarbeiten. In den Augen der Nazi-Justiz war das Hochverrat. Wenige Tage nach dem mißglückten Umsturzversuch vom 20. Juli 1944 wurde auch Alfred Delp verhaftet. Im Urteil des »Volksgerichtshofes« hieß es von Alfred Delp, er habe staatsfeindliche Wühlarbeit betrieben und sich als Kuppler von staatsfeindlichen Besprechungen betätigt. Dadurch habe er sich »für immer ehrlos gemacht«.[16]

Alfred Delp aber schrieb in seinen Meditationen über das »Vater unser« im Angesicht des Todes: »Brot ist wichtig, die Freiheit ist wichtiger, am wichtigsten aber die ungebrochene Treue und die unverratene Anbetung.«[17]

Einspruch und Widerstand damals – und heute? Zunächst sei auf die heutige Aktualität des Themas »Einspruch und Widerstand» eingegangen, um dann einige theologische und ethische Aspekte des Problems zu erörtern.

Die Aktualität des Themas

In ihrem Hirtenbrief über »die Herausforderung des Friedens« sagen die amerikanischen Bischöfe nicht nur: »Als Volk müssen wir uns weigern, den Gedanken eines Atomkrieges für legitim zu erklären«[18], sie sprechen auch unmißverständlich aus, daß es eine Pflicht zur Gehorsamsverweigerung geben kann: »Kein Christ hat das Recht, Befehle oder Maßnahmen auszuführen, die bewußt auf die Tötung von Nicht-Kombattanten abzielen.«[19] Folgende Sätze sind zwar nur im zweiten Entwurf des Hirtenwortes enthalten und wurden nicht in dessen Endfassung aufgenommen, doch sie lassen deutlich erkennen, welche Überlegungen von den Bischöfen bereits angestellt und welche möglichen Konsequenzen von ihnen erwogen werden: Wir können »im Augenblick nicht verlangen, daß Katholiken, die Kernwaffen herstellen in dem ehrlichen Glauben, daß sie damit die Abschreckung verstärken und die Wahrscheinlichkeit eines Krieges verhindern, ihren Arbeitsplatz aufgeben. Sollten wir zu der Auffassung gelangen, daß selbst der zeitweilige Besitz solcher Waffen moralisch nicht mehr zu verantworten ist, dann erfordert es die Logik, daß wir jede Beteiligung an deren Herstellung für unmoralisch erklären müssen.«[20] Folgende Vorgänge sind weithin bekannt: Erzbischof Hunthausen verweigerte dem Staat einen Teil der zu zahlenden Steuern; die Brüder Berrigan verbrannten 1968 auf dem Höhepunkt des Vietnam-Krieges Einberufungsakten mit selbstgefertigtem Napalm; in einer Erklärung dazu schrieben sie: »Verzeiht uns, Freunde, daß wir Akten verbrennen statt Kinder.« 1980 zerstörten sie mit einigen anderen Frauen und Männern zwei Raketensprengköpfe; sie vergossen an Säulen und Wände des Pentagon Blut, das sie sich vorher von einer Krankenschwester hatten abzapfen lassen.[21] Die Berrigans und ihre Freunde verstehen ihre symbolischen Handlungen »als apokalyptische, als Endzeit-Zeichen-Handlungen, die einer dämonisch gewordenen Politik Widerstand entgegensetzen«.[22] Es verwundert niemanden, daß die Vertreter der staatlichen Gewalt diese Aktionen anders werten und Gefängnisstrafen zwischen 3 und 10 Jahren vorsehen. In Anerkennung der Rechtmäßigkeit des Staates und seiner Organe sind die Brüder Berrigan bereit, die staatlichen Sanktionen auf sich zu nehmen, so wie es ihrem Verständnis von gewaltfreiem Widerstand entspricht.

Am 12. November 1983 sagte Papst Johannes Paul II. in einer Ansprache an die Teilnehmer der Vollversammlung der Päpstlichen Akademie der Wissenschaften: »Die waffenlosen Propheten sind zu allen Zeiten Ziel des Spottes gewesen, besonders von seiten erfahrener Politiker, Anhängern der Macht. Aber muß unsere Zivilisation heute nicht erkennen, daß die Menschheit solche Propheten braucht? Müßten sie nicht als einzige von der Gemeinschaft der Wissenschaftler in aller Welt einmütig gehört werden, damit die Laboratorien und Werkstätten des Todes den Laboratorien des Lebens Platz machen? Der Wissenschaftler kann seine Freiheit dazu benutzen, um den Bereich seiner Forschung zu wählen. Wenn es in einer bestimmten historischen Situation nahezu unvermeidlich ist, daß eine gewisse wissenschaftliche Forschung für aggressive Zwecke eingesetzt wird, muß er eine Wahl treffen, die es ihm ermöglicht, am Wohl des Menschen, an der Errichtung des Friedens mitzuwirken. Durch die Ablehnung bestimmter Forschungsbereiche, die unter den konkreten geschichtlichen Bedingungen unweigerlich für Ziele des Todes bestimmt sind, sollten sich die Wissenschaftler der ganzen Welt vereinen in dem gemeinsamen Willen, die Wissenschaft zu entwaffnen und eine von der Vorsehung gesandte Friedenskraft darzustellen.«[23]

Die hier angesprochenen Probleme sind nicht unversehens über uns hereingebrochen. Schon vor 15 Jahren hat Werner Schöllgen geschrieben: »Aller Voraussicht nach wird die Problematik des Widerstandsrechts in Zukunft ständig dringlicher werden.«[24] Wenn also hier und dort Überlegungen angestellt werden, ob, unter welchen Umständen und in welcher Form aus ethischen Gründen ein Nein zu bestimmten Plänen oder Praktiken gesagt werden kann oder gesagt werden muß, dann sind das keine Zeichen von Willkür, Leichtfertigkeit oder Übermut. Solche Überlegungen werden vielmehr durch reale Vorgänge provoziert. Die Frage nach dem Ungehorsam gegenüber den Anordnungen der staatlichen Autorität, nach dem Widerstand gegen die Staatsgewalt gehört zwar – so Eberhard Welty – »zu den heikelsten der gesamten Sittenlehre«.[25] Doch das darf kein Grund sein, ihr auszuweichen. Es sollte niemand noch einmal sagen müssen, was Alfred Delp mit erkennbarer Bitterkeit geäußert hat: »Der erbärmlichste Eindruck, den man heute hat, ist der Eindruck des verschluckten Wortes. Daß wir alle fast ersticken an den Worten, die wir nicht zu sagen wagen.«[26]

Glauben und Widerstehen in der biblischen Überlieferung

Es ist nicht in das Belieben der Christen und Kirchen gestellt, ob sie das Zeugnis des Evangeliums geben, denn die Berufung zum Christsein gibt es nur um dieses Zeugnisses willen. Christen und Kirchen richten sich selbst, wenn sie das ihnen anvertraute Wort veruntreuen. So wenig es in das Belieben der Christen und der Kirche gestellt ist, *ob* sie das Zeugnis des Evangeliums geben, so wenig ist es auch ihrem Gutdünken überlassen, auf welche Weise, in welcher Form das »Evangelium des Friedens« (Eph 6,15) bezeugt wird. Denn die Weise des Zeugnisses muß der jeweiligen Situation, der geschichtlichen Stunde entsprechen, in die hinein Gottes Wort als Angebot und Verheißung, als Herausforderung und Weisung gesprochen wird. Alfred Delp schrieb 1940: »Die Stunden und geschichtlichen Wirklichkeiten seines Schicksals wählt der Mensch sich nicht selbst. Die sind ihm vorgegeben, und ihm bleibt nur die Aufgabe, damit fertig zu werden.«[27] »›Situation‹ bedeutet ja gerade die Fügung der Umstände zum Anruf an die menschliche Entscheidung.«[28] Es kommt also darauf an, den Anruf der Stunde, den »Kairos«, zu erkennen.

Die Beispielerzählung vom Samariter (Lk 10,25–37) zeigt, wie man eine mit einer bestimmten Situation gegebene Herausforderung verfehlen oder auf sie eingehen kann. Die Geschichte Israels und der Kirche ist voller Beispiele dafür, welche unheilvollen Auswirkungen es hat, wenn die »Stunde« nicht erkannt wird, sei es aus Unvermögen oder Blindheit. Darum gewinnt die Erkenntnis der Situation eine theologische Qualität: Wer sich dem Anruf der Stunde nicht stellt, verwirkt vielleicht sein Heil. »Heute, wenn ihr seine Stimme hört, verhärtet euer Herz nicht ...« (Hebr 3,7 f).

Die Bibel zeichnet fast durchgängig Menschen in Situationen, die zur Entscheidung herausfordern, und sie zeigt, wie Menschen bestehen und versagen. Erprobung und Bewährung im Glauben ist das durchgängige Thema der Geschichte des Alten Testaments. Doch »glauben« wird im Hebräischen etwas anders verstanden, als wir es gewohnt sind. Es meint »sich als zuverlässig erweisen«, »sich verlassen auf«, »beständig sein«, »sich als fest und beständig erweisen«. Eine Hilfe zum Verständnis kann uns das wichtige Wort des Propheten Jesaia geben, das in einer politisch und militärisch heiklen Situation gesprochen wurde und das uns in verschiedenen Übersetzungen begegnet: »Wenn ihr nicht glaubt, so habt ihr keinen Bestand«; »glaubt ihr nicht, so bleibt ihr nicht« (Jes 7,9).

Sein Glaube hielt Jesaia davon ab, »auf dem Weg dieses Volkes zu gehen« (Jes 8,10). Jahwe sagt durch den Propheten: »Nennt nicht alles Verschwörung, was dieses Volk Verschwörung nennt« (Jes 8,12).

Jesaia hat sich gegen die herrschende Bündnis- und Wirtschaftspolitik aufgelehnt; Jeremia steht »gegen das ganze Land, gegen die Könige, Beamten und Priester von Juda und gegen die Bürger des Landes« (Jer 1,18); die Unheilsprophetie des Ezechiel geschieht mitten hinein in die Auseinandersetzung zwischen Friedenspartei und Aufstandspartei unter den Exilanten, wobei sich Ezechiel scharf gegen die antibabylonische Partei wendet, die den Aufstand schürt. Die aktuelle Kritik an dem Verhalten und der Politik des jeweiligen Königs durchzieht die ganze Geschichte der israelitischen und judäischen Monarchie.

Protest, Widerstand und Verweigerung gehen ineinander über. Eindeutig ist die Absage an die »falschen Götter«, an jene Mächte, die fälschlich sich zur Gottheit, d. h. als maßgeblich erklären. Am Hof des Königs zu Babel weigerten sich drei junge Männer, dem Gebot des Königs zu folgen: »Wir verehren deine Götter nicht und beten das goldene Standbild nicht an, das du errichtet hast« (Dan 3,18).

Wer von Standnehmen und Standhalten, von Festigkeit, Zuverlässigkeit und Treue, also vom Glauben, spricht, muß auch vom Widerstehen und Widerstandleisten, vom Sich-entgegenstellen, Entgegentreten und von Sich-widersetzen reden. Aus dem Neuen Testament gilt die Mahnung von 1 Petr 5,8 f: »Seid nüchtern, wachet! Euer Widersacher, der Teufel, geht umher wie ein brüllender Löwe und sucht, wen er verschlingen könne. Dem widerstehet, fest im Glauben ...« Und im Brief an die Epheser (6,13) lesen wir: »Darum ergreifet die ganze Waffenrüstung Gottes, damit ihr am bösen Tag Widerstand leisten und alles vollbringen und standhalten könnt!«

Widersagen und widerstehen spielen aber nicht nur in den biblischen Schriften eine zentrale Rolle. Vor der Aufnahme in die Kirche als Gemeinschaft der Glaubenden, in die Gemeinschaft derer, die den Weg Jesu gehen wollen, wird jeder Taufbewerber auch heute noch in dreifacher Form gefragt, ob er dem Satan widersagen wolle. Jahr für Jahr werden jeder Gemeinde in der Osternacht die gleichen Fragen gestellt, und die Gemeinde bekennt: »Wir widersagen!« Diese Abwendung, dieses Widersagen entspricht dem dreifach bekannten Glauben und der Hinwendung zu Gott, dem Vater Jesu Christi. Dem Widersagen muß im Laufe des Lebens das Widerstehen folgen.

Das Nein Jesu zu den Versuchungen des Satans, seine Entlarvung und Bannung der Dämonen, sein Protest gegen alles Gottwidrige und Menschenfeindliche war eine Fortführung dessen, was vor ihm die Propheten gesagt und getan haben. Die Christen sollen nun in den Spuren Jesu gehen (1 Petr 2,21) und den Götzendienst der Welt nicht mehr mitmachen (1 Petr 4,2–4). Der grundsätzliche Nonkonformismus der Glaubenden gründet im Nein zu einer »Welt«, die Gott und seinem Geist widerstreitet. »Paßt euch nicht den Maßstäben dieser Welt an« (Röm 12,2) – das ist eine ständige und bleibende Aufgabe. Der Widerstand nimmt in dem Augenblick eine besondere Gestalt an, wenn Machthaber oder Autoritäten etwas fordern, was gegen Gottes Willen und Gebot ist. Dann gilt uneingeschränkt: »Man muß Gott mehr gehorchen als den Menschen« (Apg 5,29). Dieses Wort der Apostel vor dem Hohen Rat ist die Grundformel der christlichen Freiheit des Individuums gegenüber der Forderung von Machthabern und bestimmt für alle Zeiten die Grenzen jeglicher Autorität. Die Basis des Nein und des Widerstandes war immer die Überzeugung, daß die Bindung an Gott und an die gottgewollte Ordnung den Vorrang vor allen anderen Verpflichtungen habe. Nach Alfred Delp ist das Nein »in konkreten Entscheidungen ... oft das tiefere Ja. Aber beide, das Nein und das Ja, müssen gesprochen werden vor der ehrlich geleisteten Verantwortung vor dem Ganzen.«[29]

Von Anfang an war den Christen klar, daß das Bekenntnis »Jesus Christus ist der Herr« (Phil 2,11) eine vorbehaltlose Anerkennung des Staates und seiner Repräsentanten unmöglich mache, erst recht dann, wenn diese eine Huldigung einfordern, die nur Gott gebührt. Viele Christen haben die Konsequenzen solcher Verweigerung getragen.

Doch nicht immer sind die Götzen so leicht zu identifizieren wie zu Babel oder später zu Rom, als die Christen den Bildern des Kaisers Weihrauch streuen sollten. Dämonen und Götzen haben viele Gesichter, treten in vielen Verkleidungen auf. Eine der Hauptaufgaben der heutigen Gemeinden könnte darin bestehen, die falschen Götter zu identifizieren. Voraussetzung dafür ist die Fähigkeit, die Geister zu unterscheiden (vgl. 1 Kor 12,10), mit Sicherheit auch die Lauterkeit des Herzens. Im Gefängnis klagte Alfred Delp in seinen Meditationen über den Heiligen Geist: »... es fehlt eben jene einfältige Sicherheit, die das Richtige spürt und tut, ohne es recht zu wissen.«[30]

In seiner Botschaft zum Weltfriedenstag 1971 stellt Paul VI. fest: »Die Dämonen ... stehen wieder auf.« Dann nennt er diese Dämonen beim Namen: Vorherrschaft der wirtschaftlichen Interessen, Primat der materiellen Werte, der Hang zum Haß, Klassenkampf,

Wettrennen um Nationalprestige und politische Macht, Partikularismen der Rassen und der ideologsichen Systeme, Folter und Terror, Frieden als »Gleichgewicht mächtiger Gewalten und erschreckender Rüstungen«.[31]

In seinen biblisch-heilsgeschichtlich orientierten Überlegungen und Briefen an Kardinal Höffner zur Frage der Abrüstung schreibt Heinrich Spaemann: »Bereits bei der Planung, erst recht bei der Einübung in die mögliche Verwirklichung eines Verbrechens bewegt man sich in der Dunkelzone des Bösen, die kein Licht von Gott mehr erhellt.«[32]

Für Erzbischof Hunthausen sind die Atomwaffen »die endgültige Kreuzigung Jesu«. Im Januar 1982 sagte er: »Heute betreiben wir atomaren Götzendienst in einem Umfang, der um vieles gotteslästerlicher ist als jede Ehrung eines Cäsars im ersten Jahrhundert. Wir vertrauen nicht auf Gott, sondern auf Atomwaffen.«[33] Und in einer anderen Rede im gleichen Jahr äußerte er die Meinung, wir seien von »dämonischen Wirklichkeiten« besessen, nämlich von den Atomwaffen und von der riesigen »Propaganda, die dafür gemacht wird«[34].

Sind das Stimmen blinder Eiferer und falscher Propheten? Oder hören wir hier hellsichtige Zeitgenossen, die die Einsicht Alfred Delps teilen: »Durch die zu intensive Bindung an die Zeiten kirchlicher Vergangenheit haben wir manchmal noch den Eindruck, als ob das Wesentliche der kirchenamtlichen Führung die Klugheit und Taktik sei. Es gibt aber Stunden, in denen jede Klugheit an ihre Grenzen geraten ist und das Sichere und Harte so und nicht anders einen indiskutierbaren Primat hat.«[35]

Solche die Situation deutenden Worte erinnern an die Propheten in Israel, die ungeschützt und im Vertrauen auf ihren Gott vor das Volk und seine Herrscher traten. »Die Propheten provozierten durch ihre Predigten Widerspruch: Widerspruch von seiten des Staates, von der institutionalisierten Religion, von der vox populi und vielleicht am brennendsten von allem den Widerspruch anderer Propheten.«[36]

Für den König Ahab war der Prophet Elia ein Zerrütter und Verderber Israels, ein Mann, der das Volk ins Unglück stürzt (1 Kön 8,17). Der heute zu den »großen« Propheten gehörende Jeremia hat 40 Jahre lang vergebens gemahnt, bedrängt und verfolgt von seinen Verwandten, von den Priestern und Tempelpropheten. Alle noch heute praktizierten Schikanen hat er durchlitten: Rede- und Schreibverbot, Diffamierung und Inhaftierung. Schließlich wurde er »von der haltlosen Volksmasse gezwungen, nach Ägypten zu emigrieren«.[37] Markus erzählt von Jesus, daß er am Sabbat geheilt und Händler aus dem Tempel vertrieben habe. Beides waren provokatorische, prophetische Zeichenhandlungen. Und nach beiden Berichten sagt der Evangelist von den offiziellen Vertretern der Religion, daß sie »suchten, wie sie ihn ins Verderben bringen könnten« (Mk 3,6; 11,18).

Über Propheten hat man sich immer geärgert. Christus wurde »gesetzt als Zeichen des Widerspruchs« (vgl. Lk 2,34).[38] Alfred Delp hat über die notwendigen und die überflüssigen Ärgernisse nachgedacht. Während letztere aus der Dummheit oder der Unzulänglichkeit der Christen oder der Kirche herrühren, ist das erste, primäre Ärgernis eine Folge der Treue zum Evangelium. »Wir werden schuldig, wenn wir uns weigern, das erste Ärgernis zu geben«.[39] Eindeutigkeit, Entschiedenheit und Widerspruch haben in der Vergangenheit immer wieder zu Konflikten geführt, und es wird in der Zukunft nicht anders sein. Dazu schreibt Delp: »Wo Konflikt ist, muß gefochten werden, ohne Kompromiß, ohne Verrat und ohne Feigheit«.[40]

Ethische Argumente für den Widerspruch

1. Die Drohung mit dem Unerlaubten
So wichtig aber prophetische Mahnrufe und Zeichenhandlungen auch sind, sie können zunächst nicht mehr sein als ein Appell zur Besinnung und eine Aufforderung zur Umkehr. Sie ersetzen nicht eine rationale Erörterung, angefangen von einer Situationsanalyse bis hin zur Entwicklung von Kriterien zur sittlichen Urteilsfindung. Darum sollen nun aus der gegenwärtigen Diskussion einige Fragen und Argumente genannt werden, die auch in unserem Rechtsstaat an die Grenzen des staatsbürgerlichen Gehorsams führen oder führen können. Und da die Abschreckung den Kern der militärischen Sicherheitspolitik darstellt und sie als Rechtfertigung für ständig neue Waffensysteme und Rüstungsmaßnahmen herhalten muß, ist die Frage nach der ethischen Bewertung der Abschreckung gleichzeitig von Bedeutung für die sittliche Beurteilung der Sicherheits- und Rüstungspolitik.

1980 schrieb der Münchener Philosoph Robert Spaemann: »Die Legitimität des Staates und die Loyalitätspflicht der Bürger sind nicht unbedingt und unbegrenzt.« So stelle sich z. B. für denjenigen die Loyalitätsfrage, »die in der industriellen Nutzung der Kernspaltung einen Angriff auf die Integrität des menschlichen Lebens sehen«. Und er fährt fort: »Es kann niemandem zugemutet werden, Mehrheitsentscheidungen zu akzeptieren, wo diese seiner Überzeugung nach Tod oder schwere gesundheitliche Schädigung seiner Kinder bedeuten.«[41] Zwei Jahre später zählt Spaemann zu den »Unterlassungen, die immer Pflicht sind«, auch die Verteidigung mit technischen Massenvernichtungsmitteln, die überwiegend die Zivilbevölkerung treffen. »Es gibt eindeutige sittliche Grenzen einer Abschreckungsstrategie ... Die Verteidigung eines Landes ... auf technische Massenvernichtungsmittel zu gründen, die überwiegend Zivilbevölkerung treffen, ist schlechthin unsittlich ... Wenn aber die Drohung die Bereitschaft zur Ausführung impliziert, dann hat diese Drohung mit Verantwortungsethik nichts mehr zu tun, weil sie die Bereitschaft zu einer Handlung einschließt, die eben gerade unter allen denkbaren Umständen unverantwortlich ist. Daher ist zumindest das System der sog. strategischen Atomwaffen mit großem Zerstörungsradius eine institutionalisierte Frivolität.«[42]

2. Das Dilemma

Ich gehe davon aus, daß alle verantwortlichen Politiker in unserem Land selbst bei den umstrittensten Entscheidungen die Absicht haben, einen Krieg zu verhindern oder unwahrscheinlicher zu machen. Aber auch die gute Absicht kann nicht darüber hinweg täuschen, daß wir uns in einer fast ausweglosen Situation befinden:

- Moralisch gesehen vermögen wir zwischen Kriegsvorbereitung und Kriegsdrohung nicht mehr zu unterscheiden. Die Bereitstellung der verschiedenen Waffensysteme soll den Zweck haben, ihren Einsatz zu vermeiden und den Frieden zu sichern. Doch mit dieser Absicht muß der Wille verbunden und erkennbar sein, die Drohung mit dem Einsatz selbst der furchtbarsten Vernichtungsmittel im »Ernstfall« auch zu realisieren. Man kann mit dem Schlimmsten nur dann wirkungsvoll drohen, wenn man willens ist und sich fähig macht – technisch wie psychisch und »moralisch« –, das Schlimmste im angedrohten Fall auch zu tun. (Auf die psychologischen Voraussetzungen und Auswirkungen kann ich hier nicht weiter eingehen, obwohl auch sie unter ethischen und politischen Aspekten von großer Bedeutung sind.)

- Das Konzept der Kriegsverhütung durch ein Rüstungsgleichgewicht und durch Abschreckung hat dazu geführt, daß die militärischen Mittel auf allen Stufen immer weiter entwickelt wurden, um abschreckend zu wirken. Solange diese Logik herrscht, wird sie immer furchtbarere Monstren von Waffen hervorbringen. Und die moralische Ächtung einzelner Waffensysteme wird kaum Erfolg haben, solange es nicht gelingt, diese Logik selbst zu unterlaufen.
- Schließlich führen die zur Kriegsvermeidung gedachten Maßnahmen ihrerseits jetzt schon zu kriegsähnlichen Folgen. Um den großen Krieg zu vermeiden, werden Naturvorräte ausgebeutet, ungeheure Geldsummen verschleudert, Länder der Dritten Welt zu riesigen Waffenkäufen verleitet, der Hungertod von Millionen Kindern im Jahr mitverursacht. Inzwischen haben die weltweiten Rüstungskosten eine Höhe von mehr als 2 Billionen DM erreicht und überschritten. Unsere heutigen Maßnahmen zur Friedenssicherung fordern mehr Opfer als viele frühere Kriege.

Um ihrer moralischen Pflicht nachzukommen, einen Krieg zu verhindern, greifen die Verantwortlichen zu moralisch äußerst fragwürdigen Mitteln, da sie nach eigenem Bekunden zur Zeit keine andere vertretbare Möglichkeit der Kriegsverhinderung sehen.

3. Der Faktor Zeit

Unter der Voraussetzung eines geschichtlich-dynamischen Friedensverständnisses, das die politische Arbeit für Abrüstung und alternative Friedensstrukturen impliziert, hielten die beiden Großkirchen sowohl die atomare Abschreckung als auch den Waffendienst vorläufig für hinnehmbar. Etwa 20 Jahre lang schien zumindest unter Christen weithin akzeptiert, daß man den »Friedensdienst mit und ohne Waffen« leisten könne, wie es die Kurzformel nicht ganz zutreffend ausdrückt. Doch diese These von der Komplementarität zweier ethisch vertretbarer Handlungsweisen wird seit einiger Zeit und zunehmend in Frage gestellt. Die Tendenz geht vom bisherigen bedingten Ja zu atomaren Waffen mit ihrer kriegsverhütenden Funktion zu einem »Nein ohne jedes Ja«, wie es vom Moderamen des Reformierten Bundes in der Bundesrepublik Deutschland formuliert und von großen Teilen der christlichen Friedensbewegung vertreten wird.

Gerade dann, wenn theologische Erkenntnis, militärische Bedrohungsanalyse und politische Vernunftseinsicht so miteinander verbunden werden, daß alle Elemente in wechselseitiger Befragung und Verschränkung in den Prozeß der Urteilsfindung einbezogen werden, scheint diese Entwicklung zum Nein schlüssig. Zum einen haben sowohl die Evangelische Kirche in Deutschland als auch die Katholische Kirche ihr bedingtes Ja zur kriegsverhütenden Rolle der atomaren Abschreckung als vorläufig angesehen und an eine Umkehrung der Rüstungsdynamik gebunden. Sind die Voraussetzungen für das Ja angesichts der tatsächlichen Entwicklung noch gegeben? Zum andern hat das Zweite Vatikanische Konzil schon 1965 von einer »Frist« gesprochen, die es zu nutzen gelte; Kardinal Höffner verwendete 1983 mehrfach das Wort »Galgenfrist«; und Kardinal Ratzinger sprach schon 1966 zur Kennzeichnung der Position der Konzilsväter von einer »Notstandsethik«. Man muß fragen, ob »Fristen« sich beliebig verlängern lassen und was geschieht, wenn ein Notstand als unhaltbar erkannt oder empfunden wird. Alfred Delp hatte geschrieben: Der Mensch »darf nicht darauf angewiesen bleiben, in schwierigen Situationen allgemeine Aussagen zu erhalten, die da und dort nur durch einen versteckten Hinweis die Gegenwart berühren.«[43] Haben jene Christen recht, die von ihren Kirchenleitungen heute deutlichere Worte und Stellungnahmen erwarten?

4. Die Gefahr der Anpassung

Der ehemalige Feldgeneralvikar der Deutschen Wehrmacht, Georg Werthmann, hat während seiner Internierung nach dem 2. Weltkrieg u. a. folgende Notiz niedergeschrieben: »Wir haben alle Deutungen der allein Gott zustehenden Hoheit des Gerichts an uns zu reißen versucht und gingen in vermessener Selbstgerechtigkeit an die äußere Vernichtung des Bolschewismus.« Und im Gefühl moralischer Überlegenheit hätten wir faktisch alle theoretisch abgelehnten »bolschewistischen Methoden bejaht« und »Christentum, Volk, Persönlichkeit, Freiheit – den Dämonien des bolschewistischen Weltempfindens ausgeliefert«.[44] Geraten wir nicht auch heute in Gefahr, zur Sicherung von Recht und Freiheit alle jene Techniken und Praktiken anzuwenden, die wir im Grunde verabscheuen und deren Gebrauch uns zu Massenmördern machen würde? In der früheren Moraltheologie spielte der Gedanke von der »nächsten Gelegenheit« zur Sünde eine große Rolle: man mußte sie meiden wie die Pest, um nicht der

Sünde zu verfallen. Wir schaffen heute nicht nur selber »Gelegenheit«, wir entwickeln immer perfektere Vernichtungsinstrumente, weil »die anderen« es ja auch tun und wir darum Schritt halten müssen ... Im Herbst 1981 zitierte Kardinal Höffner in seinem Vortrag zur Eröffnung der Vollversammlung der Deutschen Bischofskonferenz C. G. Jung: »Man häufe nur das entsprechende Material auf, und es wird sich unfehlbar des Teuflischen im Menschen bemächtigen und mit ihm losmarschieren.«[45]

Die Zahl derer wächst, die um ihrer eigenen und um unser aller Humanität und Zukunft willen einen Weg nicht mehr mitgehen wollen, der nach ihrer Überzeugung ins Verderben führt. Sie halten es bewußt oder unbewußt mit einem Wort von Friedrich Nietzsche aus dem Jahre 1880: »Lieber zu Grunde gehen, als hassen und fürchten, und zweimal lieber zu Grunde gehen, als sich hassen und fürchten machen.«[46]

Es gibt ein »zu spät«

Ich habe bereits auf die theologische Qualität von Situationen hingewiesen und den beschwörenden Psalmvers zitiert, den wir auch im Hebräerbrief finden: »Heute, wenn ihr seine Stimme hört, verhärtet euer Herz nicht ...« (Hebr. 3,7 f). Dieser die Existenz vor Gott betreffende Ruf ist nicht isoliert und abgehoben vom historischen und politischen Geschehen zu sehen. Man darf ja wohl fragen, was geschehen und wie der Weg der Christenheit vielleicht verlaufen wäre, wenn im 16. Jahrhundert die verantwortlichen Männer die Herausforderung der Zeit erkannt hätten. Von einem bestimmten Augenblick an war z. B. der Bruch der Kirche nicht mehr zu vermeiden: Es gab ein »zu spät«. – Was wäre wohl geschehen, wenn in den zwanziger Jahren unseres Jahrhunderts mehr Christen die mit der jungen Demokratie gegebenen Herausforderungen und Aufgaben wahrgenommen hätten? Größere Wachheit und Fähigkeit zur Analyse, größere Entschiedenheit und Opferbereitschaft hätten der Geschichte vielleicht einen anderen Weg zu geben vermocht. Die Schrecken der Herrschaft Hitlers sind auch eine Folge der Tatsache, daß viele Menschen den Kairos nicht erkannt haben. Alfred Delp hat darunter gelitten, »daß wir schuldig sind, weil wir in einer bestimmten Zeit und geschichtlichen Stunde leben und geschehen lassen, was geschieht.«[47]

Was hat die Stunde heute geschlagen? Könnte es nicht sein, daß es angesichts der gegenwärtigen Entwicklung wieder einmal ein »zu spät« gibt, noch katastrophaler als ehedem? Niemand von uns kann für alle verbindlich sagen, worin die Herausforderung des gegenwärtigen Kairos im einzelnen besteht. Alfred Delp: »Das Leben in der Geschichte wird immer ein Wandern auf schwankendem Grund bleiben. Es verlangt Wachsamkeit für die Möglichkeiten und Notwendigkeiten; es fordert Bereitschaft und Einsatz, Härte und Treue.«[48]

Selbst in jenen Zeiten der Kirchengeschichte, da die Autoritätshörigkeit besonders stark ausgeprägt war, ist immer auch gelehrt worden, daß man Gott mehr gehorchen müsse als den Menschen, daß das »Nein« in einer bestimmten Situation das geforderte Zeugnis sein könne. Doch das eine ist die prinzipiell beibehaltene und weitergegebene Lehre, das andere ist deren Realisierung durch einzelne Christen oder durch die Kirche angesichts einer konkreten Herausforderung. Nähern wir uns einer Situation, in der wir im Gehorsam gegen Gott ein »Nein« gegenüber Anordnungen und Maßnahmen der staatlichen Autorität sprechen müssen? Das ist nicht undenkbar und auch nicht völlig unwahrscheinlich. Wenn aber eine solche Situation, die niemand herbeiwünschen kann und für die wohl auch die Bitte gilt, »und führe uns nicht in Versuchung«, nicht auszuschließen ist, dann wäre es unverantwortlich, ihr unvorbereitet entgegenzugehen.

Im Rückblick auf die Nazi-Herrschaft hat Marie Luise Kaschnitz geschrieben:

Aufzustellen wäre das Schuldregister.
Schuld unsere erste: Blindheit
(Wir übersahen das Kommende).
Schuld unsere zweite: Taubheit
(Wir überhörten die Warnung).
Schuld unsere dritte: Stummheit
(Wir verschwiegen, was gesagt werden mußte).
Warum?
Wir wollten uns nicht verlieren.[49]

Es ist noch nicht entschieden, was Spätere über uns sagen werden.

[1] Alfred Delp: Gesammelte Schriften, hrsg. von Roman Bleistein, Band I–IV, Frankfurt 1982–1984, hier III, 49 (im folgenden: Schriften).

[2] Schriften IV, 99.

[3] a. a. O. 106 f.

[4] a. a. O. 136.

[5] Vgl. B. van Jessel: Einige biblische Voraussetzungen des Sakramentes, in: Concilium 1968, 2–9; W. Schottroff: »Gedenken« im Alten Orient und im Alten Testament. Die Wurzel ZAKAR im seminitischen Sprachkreis, Neukirchen–Vluyn, 1964.

[6] Chrysologus 76 (1936), 810, zit. nach Norbert Fabisch: Mut, Geschichte zu machen – Pater Alfred Delp SJ, in: KatBl 1981, 233–238, hier 234.

[7] Schriften II, 192.

[8] a. a. O. 196.

[9] a. a. O. 198.

[10] a. a. O. 200.
[11] a. a. O. 346.
[12] a. a. O. 196.
[13] a. a. O. 335.
[14] Vgl. a. a. O. 335; 385; 399 f; 411 f; 425; 439; 451.
[15] a. a. O. 337.
[16] Schriften IV, 411; 423; 425.
[17] a. a. O. 236.
[18] Beschöfe zum Frieden, in: Stimmen der Weltkirche 19, hrsg. vom Sekretariat der Deutschen Bischofskonferenz, Bonn 1983, 57.
[19] a. a. O. 63.
[20] z. Entwurf des Hirtenbriefes der Konferenz der katholischen Bischöfe der USA zu Krieg und Frieden, Dezember 1982, hrsg. von Pax Christi, Deutsches Sekretariat, Frankfurt, 74.
[21] Zit. nach Hans-Eckard Bahr: Ins Angesicht widerstehen. Stilelemente und Sozialethos gewaltfreier Friedensprozesse, in: Jürgen Moltmann (Hrsg.): Annahme und Widerstand, München, 1984, 80–113, hier 102.
[22] ebd. 98.
[23] Zit. nach: Frieden stiften. Die Christen zur Abrüstung. Eine Dokumentation, hrsg. von G. Baadte, A. Boyens, O. Buchbender, München 1984, 229 f.
[24] Art. »Widerstand(srecht)«, in: Sacramentum Mundi, Freiburg 1969, IV, 1357.
[25] Eberhard Welty: Herders Sozialkatechismus, Freiburg [7]1957, II, 252.
[26] Schriften III, 414.
[27] Schriften II, 240.
[28] a. a. O. 335.
[29] a. a. O. 195.
[30] Schriften IV, 302.
[31] Dienst am Frieden. Verlautbarungen des Apostolischen Stuhls 23, hrsg. vom Sekretariat der Deutschen Bischofskonferenz, Bonn, 107.
[32] Heinrich Spaemann: Ehe es zu spät ist. München [2]1984, 12.
[33] Wider die tödliche Sicherheit, hrsg. von der Katholischen Akademie Österreichs, Wien 1983, 36.

[34] a. a. O. 53.

[35] Schriften I, 278.

[36] Roland E. Murphey: Propheten und Weise als Provokatoren von Widerstand, in: Concilium 1982, 574–578, hier 574.

[37] RGG III, 582.

[38] Schriften I, 240.

[39] a. a. O. 242.

[40] Schriften II, 198.

[41] Robert Spaemann: Technische Eingriffe in die Natur als Problem der politischen Ethik, in: Dieter Birnbacher (Hrsg.): Ökologie und Ethik, Stuttgart 1980, 180–206, hier 202 f.

[42] Wer hat wofür Verantwortung; in: HerKorr 1982, 403–408, hier 407.

[43] Schriften I, 275.

[44] Notiz vom 19. 7. 1945, in: Archiv des Katholischen Militärbischofsamtes, Bonn. (Nach alter Ordnung IX. 2).

[45] Joseph Kardinal Höffner: Das Friedensproblem im Licht des christlichen Glaubens, Hrsg.: Sekretariat der Deutschen Bischofskonferenz, Bonn, 1981, 16.

[46] Menschliches, Allzumenschliches II, 2. Der Wanderer und sein Schatten (1880). Nr. 284, zit. nach Carl Friedrich von Weizsäcker: Wahrnehmung der Neuzeit, München–Wien 1983, 107.

[47] Schriften IV, 237.

[48] Schriften II, 428 f.

[49] Marie Luise Kaschnitz: Schnee, in: Dein Schweigen – meine Stimme, Hamburg 1962, 72.

Ernst Feil

Widerstand und Ergebung

Zum politischen Engagement aus christlichem Glauben nach Dietrich Bonhoeffer[1]

»Widerstand und Ergebung« lautet der Titel der Gefängnisbriefe Bonhoeffers, die der Freund und bevorzugte Adressat Eberhard Bethge herausgegeben hat. Doch stammt dieser Titel nicht von Bethge, sondern aus einem der Briefe, die Bonhoeffer an seinen Freund gerichtet hat. Als die Hoffnung auf eine absehbare Befreiung geschwunden ist und es gilt, sich auf eine lange und ungewisse Haftzeit einzurichten, schreibt Bonhoeffer, er denke oft über die »Grenzen zwischen dem notwendigen Widerstand gegen das ›Schicksal‹ und der ebenso notwendigen Ergebung« nach (21. 2. 1944, WEN 244); sowohl Don Quichote als auch Michael Kolhaas seien keine geeigneten Beispiele, gehe es dem einen doch um Widerstand »bis zum Widersinn«, dem anderen aber in einem solchen Maße um das Recht, daß er »über der Forderung nach seinem Recht zum Schuldigen wird« mit dem Ergebnis, daß der Widerstand »bei den beiden letztlich seinen realen Sinn« verliert und sich »ins Theoretisch-Phantastische« verflüchtigt. Demgegenüber plädiert Bonhoeffer dafür, dem Schicksal ebenso entschlossen entgegenzutreten wie sich ihm zu gegebener Zeit zu unterwerfen; denn: »Gott begegnet uns nicht nur als ›Du‹, sondern auch ›vermummt‹ im ›Es‹ «. Beides, Widerstand und Ergebung, muß jeweils mit »Entschlossenheit« ergriffen werden, sie bedeuten für Bonhoeffer ein bewegliches, lebendiges Handeln.

Aus dieser Aussage ergibt sich als Konsequenz: Von »Widerstand und Ergebung« kann gleichfalls in verschiedener Hinsicht die Rede sein, je nachdem in welcher Hinsicht und in welchem Kontext, in welcher Situation von ihnen gesprochen wird. Bonhoeffer benutzt beide Termini im Hinblick auf das Schicksal, das er als ein »Es« charakterisiert, in dem es das »Du« zu finden gilt. Sehr bezeichnend für Bonhoeffer ist, daß er den Gedanken dann fortführt: »Die Grenzen zwischen Widerstand und Ergebung sind also prinzipiell nicht zu bestimmen«. Es wird uns noch beschäftigen, was in diesem Zusammenhang die Ablehnung eines »prinzipiellen« Bestimmens bedeutet. Indem jedenfalls »Widerstand und Ergebung« so zusammen genannt sind, erscheinen sie mindestens in dem Sinn miteinander verbunden, als sie sich gegenseitig ebenso begrenzen wie ergänzen: Widerstand erscheint als Begrenzung und Ergänzung der Ergebung, um diese nicht quietistisch universal werden zu lassen; eine vom Widerstehen isolierte und somit universal gewordene Ergebung könnte durch die eigene Passivität eben keine Abstinenz vom Bösen erreichen, sondern vielmehr an ihm durch tatenloses Zulassen mitschuldig werden.

Aber auch Ergebung ist als Begrenzung und Ergänzung des Widerstandes unerläßlich, um diesen nicht total werden zu lassen, so daß er der Wirklichkeit nicht mehr gerecht zu werden vermag; es ist ein schwerwiegender Irrtum zu meinen, durch universalen Widerstand würde sich – wie ein Phönix aus der Asche – nach der Totalvernichtung des Negativen aus diesem das Gute von selbst erheben.

Beides, Widerstand und Ergebung, hat Bonhoeffer in paradigmatischer Weise realisiert und reflektiert; er eignet sich daher, uns bei unseren Überlegungen behilflich zu sein, nicht im Sinn eines simplen Transfers, sondern der Orientierung. In der Sprache Bonhoeffers: Auch und gerade »Widerstand und Ergebung« dürfen nicht prinzipiell, d. h. als Prinzipien verstanden und somit mißverstanden werden, sie bezeichnen vielmehr konkrete Einstellungen in einer jeweils differierenden Situation.

Warnen möchte ich davor, Bonhoeffer in falscher Weise zu kanonisieren oder zu heroisieren: Er hat sein Martyrium nicht gesucht, er hat auch nach seiner Gefangennahme um sein und seiner Mitverschworenen Überleben gekämpft mit allen ihm erlaubten Mitteln, und d. h. auch mit dem Mittel, die Gestapo nach Kräften zu täuschen, zu belügen. Er hat sich darüber Rechenschaft zu geben versucht in seinen Überlegungen zur Frage »Was heißt: Die Wahrheit sagen?« (E 385–395).

Mit einer Passage zu Beginn dieses Textes möchte ich in jene miteinander zusammenhängenden Aspekte einführen, die uns im folgenden angehen: Bonhoeffer verweist nämlich darauf, daß die Wahrheit sagen von der jeweiligen Position und Situation abhängt und so etwas anderes bedeutet zwischen Eltern und Kindern, Mann und Frau, Obrigkeit und Untertan oder Freund und Feind. Dem Einwand, man müsse doch in jedem Falle die Wahrheit sagen, weil wahrheitsgemäße Rede nicht diesem oder jenem, sondern Gott geschuldet werde, stimmt Bonhoeffer ausdrücklich zu, fügt jedoch hinzu, dieses sei richtig, »sofern nur dabei nicht außer acht gelassen wird, daß eben Gott kein allgemeines Prinzip ist, sondern der Lebendige, der mich in ein lebendiges Leben gestellt hat und in ihm meinen Dienst fordert. Wer Gott sagt, darf die gegebene Welt, in der er lebt, nicht einfach durchstreichen; er spräche sonst nicht von dem Gott, der in Jesus Christus in die Welt einging, sondern von irgendeinem metaphysischen Götzen. Darum geht es ja gerade, wie ich die wahrheitsgemäße Rede, die ich Gott schulde, in meinem konkreten Leben mit seinen mannigfaltigen Verhältnissen, zur Geltung bringe. Die Gott geschuldete Wahrhaftigkeitsgemäßheit unserer Worte muß in der Welt konkrete Gestalt annehmen. Unser Wort soll nicht prinzipiell, sondern konkret wahrheitsgemäß sein« (E 386).

In dieser kurzen Passage darf eine aufs äußerste konzentrierte Zusammenfassung der Reflexion christlichen Glaubens und Lebens in der Welt bei Bonhoeffer gesehen werden. Sie näher zu erläutern, soll im folgenden 1. Bonhoeffers Annahme Gottes als des konkreten, 2. die Konkretion Gottes im Ruf in die Nachfolge, 3. als Beispiel für die Nachfolge Bonhoeffers Einstellung zum Thema Frieden und 4. seine grundlegende Überlegung zum ethischen Handeln des Christen erörtert werden. Abschließend möchte ich 5. die Konsequenzen für unsere Situation verdeutlichen, heute von Widerstand zu sprechen.

Gott, der hier und heute Gott ist

Gott nicht als allgemeines abstraktes Prinzip, als metaphysischen Götzen, d. h. in der Sprache der Gefängnisbriefe Gott nicht als Arbeitshypothese, als Lückenbüßer, wo menschliche Fähigkeit zu Ende ist oder an den Grenzen unserer Erkenntnis und unseres Lebens, sondern als konkreten zu erkennen und anzunehmen, ist für Bonhoeffer wie für uns nicht mit Worten getan. Es geht um den nicht nur gesprochenen, sondern gelebten konkreten Glauben an den wirklichen, in unserem Leben wirksamen Gott. Doch wie kommen wir zu diesem Glauben?

Bonhoeffer ist hier wiederum nicht allein mit Worten, sondern durch seine Erfahrungen beispielhaft: Er war ein Christ, dem dieser konkrete Glaube geschenkt worden ist. Bonhoeffer hatte sich 1921 als 15jähriger zu Beginn der 12. Klasse zum Theologiestudium entschlossen und diesen Entschluß auch durchgeführt. In einer sehr persönlichen Notiz schaut er auf diesen Entschluß und seine Mitteilung an die Klasse zurück: »... jetzt mußte sich ihm innerlich das Rätsel seines Lebens (sc. Bonhoeffers) lösen, jetzt stand er feierlich vor seinem Gott, vor seiner Klasse, jetzt war er der Mittelpunkt ... da stand er selbst in der Mitte der Welt als der Verkünder und Lehrer seiner Erkenntnis und seiner Ideale ... und das Wohlgefallen des Ewigen ruhte auf seinen Worten und auf seinem gescheitelten dunkelblonden Haupt. Und er schämte sich wiederum. Denn er wußte um seine erbärmliche Eitelkeit ... Gott, sage selbst, ob ich Dich ernstlich meine, vernichte mich in diesem Augenblick, wenn ich lüge, oder strafe sie alle, sie sind meine, deine Feinde, sie glauben mir nicht ... (... ich brauche die anderen nicht ...) ... ich, ich ... ich will siegen ... ich mit Dir, ... ich bin stark ... Gott, ich bin mit Dir ...« (etwa 1932, GS VI 230 ff).

Hier erscheint ein Vexierbild jenes Glaubens, der wahrhaft christlich ist; es zeigt den Menschen vor Gott, wie er von sich aus ist, nämlich einerseits der, der sich schämt wegen seiner Überheblichkeit und Eitelkeit, der sich aber gleichwohl nicht von ihr trennen, sie nicht überwinden kann. Es geht diesem Menschen um Gott, aber mindestens nicht weniger um sich selbst. Und als ein solcher ist Bonhoeffer angetreten.

Aus späterer Rückschau, 1936, sieht Bonhoeffer diesen Anfang so, wie er ihn einer Bekannten mitteilte: »Ich hatte schon oft gepredigt, ich hatte schon viel von der Kirche gesehen, darüber geredet und gepredigt – und ich war noch kein Christ geworden ... Ich weiß, ich habe damals aus der Sache Jesu Christi einen Vorteil für mich selbst ... gemacht« (ebd. 368).

Dabei war diese Phase keineswegs eine Zeit glücklichen Glaubens, sondern letztlich eine Zeit tiefer Ratlosigkeit und Hilflosigkeit. 1931 heißt es in einem Brief an Helmut Rößler folgendermaßen: »Ich bin jetzt Studentenpfarrer an der Technischen Hochschule, wie soll man diesen Menschen solche Dinge predigen? Wer glaubt denn das noch? Die Unsichtbarkeit macht uns kaputt. Wenn wir's nicht in unserem persönlichen Leben sehen können, daß Christus da war, dann wollen wir's wenigstens in Indien sehen, aber dies wahnwitzige dauernde Zurückgeworfenwerden auf den unsichtbaren Gott selbst – das kann doch kein Mensch mehr aushalten« (GS I 61).

Bonhoeffer hat also diese Unsichtbarkeit Gottes, die Unwirksamkeit seiner Botschaft und der Predigt, die diesen Gott verkünden will, am eigenen Leib erfahren. Und er hat dies alles zu überwinden versucht. Am Ende seines Lebens, einen Tag nach dem Attentat auf Hitler, als er von dessen Mißlingen schon wußte, faßt Bonhoeffer diesen seinen Weg – gleichsam in einer Summe seines Lebens – wie folgt zusammen: »Ich erinnere mich eines Gesprächs, das ich vor 13 Jahren in Amerika mit einem französischen jungen Pfarrer hatte. Wir hatten uns ganz einfach die Frage gestellt, was wir mit unserem Leben eigentlich wollten. Da sagte er: ich möchte ein Heiliger werden (– und ich halte für möglich, daß er es geworden ist –); das beeindruckte mich damals sehr. Trotzdem widersprach ich ihm und sagte ungefähr: ich möchte glauben lernen ... Ich dachte, ich könnte glauben lernen, indem ich selbst so etwas wie ein heiliges Leben zu führen versuchte. Als das Ende dieses Weges schrieb ich wohl die ›Nachfolge‹. Heute sehe ich die Gefahren dieses Buches, zu dem ich allerdings nach wie vor stehe, deutlich« (21. 7. 44, WEN 401).

Auch dieses Zitat weist auf die Zeit von 1931, als er sich in Amerika aufhielt. Bonhoeffer deutet an, daß er zwar nicht ein Heiliger werden, wohl aber glauben lernen will. Damit dürfte er in der Situation stehen, die für uns alle und immer wieder gilt. Bonhoeffer versuchte es dadurch, ein heiliges Leben zu führen. Dies aus der Rückschau kritisch zu sehen, bedeutet kein Votum gegen den Versuch, Gott zu dienen, auf ihn zu hören, wohl aber eine Distanzierung von dem Versuch, dies aus eigener Kraft zu können.

Denn um 1932 ist ihm etwas geschenkt worden, was ihn aus seiner Situation freigemacht hat; in dem schon einmal erwähnten Schreiben an eine Bekannte heißt es: »Daraus hat mich die Bibel befreit und insbesondere die Bergpredigt. Seitdem ist alles anders geworden. Das habe ich deutlich gespürt und sogar andere Menschen um mich herum. Das war eine große Befreiung. Da wurde es mir klar, daß das Leben eines Dieners Jesu Christi der Kirche gehören muß und Schritt für Schritt wurde es deutlicher, wie weit das so sein muß« (GS VI 368).

1936 konnte Boenhoeffer noch nicht ahnen, wie weit dieser Weg sein würde. Denn zu dieser Zeit der Nachfolge, als er Pfarrer der Bekennenden Kirche im Predigerseminar ausbildete und mit ihnen ein intensives gemeinschaftliches Leben des Gebets, der Meditation, des Gottesdienstes, aber auch der Erholung führte, konnte sich noch niemand vorstellen, daß eines Tages die Frage gestellt würde, ob ein Pfarrer zum Widerstand gegen Hitler beitragen möchte, zu einem Widerstand, der die

Ermordung Hitlers intendierte. Der Weg war also viel länger, und Bonhoeffer konnte sich nicht darauf beschränken, »daß das Leben eines Dieners Jesu Christi« nur »der Kirche gehören muß«. Im Gefängnis formulierte Bonhoeffer, daß darüber hinaus ein wesentlicher zweiter Schritt zu tun sei, besser, nur geschenkt werden kann; im Anschluß an den zuvor genannten Text über die ›Nachfolge‹ schreibt er: »Später erfuhr ich und ich erfahre es bis zur Stunde, daß man erst in der vollen Diesseitigkeit des Lebens glauben lernt« (N 401).

Konkretion Gottes im Ruf in die Nachfolge

Wenn Bonhoeffer um 1932 ein Realisieren dessen erlebt hat, daß es im Glauben nicht auf uns und unsere Vorstellung von Gott, sondern auf sein Wort und das Tun seines Willens ankommt, so zeigt sich hier die Konkretion Gottes: Es geht nicht um Gott als »allgemeines Prinzip«, sondern um den »lebendigen«, der »hier und heute« Gott ist.

Bonhoeffer hat in den letzten Briefen nachhaltig vom Ende der Religion und einer kommenden religionslosen Zeit gesprochen. Damit meinte er, daß wir nicht mehr bei einer Gottesvorstellung vom allmächtigen, die Welt beherrschenden und über seine Feinde triumphierenden Gott ansetzen können. Vielmehr – wie der eingangs zitierte Text über Gott als konkreten sagt – geht es darum, von dem Gott zu sprechen, der in Jesus Christus in die Welt einging. Die Unsichtbarkeit Gottes in unserer Welt vermögen wir nicht zu überwinden. Wir können auch keinen Zugang zu ihm gewinnen, indem wir uns direkt an ihn als das absolute Wesen wenden. Zu Gott finden wir vielmehr nur durch Jesus von Nazareth, durch sein Wort in der Schrift und durch sein Leben, das freilich am Kreuz endete. Was ist das eigentlich für ein Glaube, der davon überzeugt ist, daß Gott selbst Mensch geworden ist, aber nicht sichtbar herrscht und – endlich und endgültig – das Böse ein für allemal beseitigt hat, sondern sich dem Bösen ausliefert und es dadurch überwindet, daß er nur in der extremen Ohnmacht des Todes mächtig ist?

»Und wir können nicht redlich sein, ohne zu erkennen, daß wir in der Welt leben müssen – ›etsi deus non daretur‹. Und eben dies erkennen wir – vor Gott! ... So führt uns unser Mündigwerden zu einer wahrhaftigeren Erkenntnis unserer Lage vor Gott ... Vor und mit Gott leben wir ohne Gott. Gott läßt sich aus der Welt herausdrängen ans Kreuz, Gott ist ohnmächtig und schwach in der Welt und gerade und nur so ist er bei uns und hilft uns« (16. 7. 44, WEN 394).

Dies ist also mit einer religionslosen, konkreten Vorstellung von Gott gegeben: daß wir an Gott in Jesus Christus glauben, daß wir uns an diesen am Kreuz gestorbenen Sohn Gottes halten, der uns »nicht hilft kraft seiner Allmacht, sondern Kraft seiner Schwachheit, seines Leidens« (ebd.).

Sich an den konkreten Gott zu halten, bedeutet also, sich an diesen Jesus Christus zu halten. Dieses führt nach Bonhoeffer zur Gemeinschaft der Glaubenden. Während die Sünde die Menschen trennt, verbindet allein die Nachfolge. Nur in ihr gibt es echte Gemeinschaft. Man kann allenfalls umgekehrt sagen: Wo immer es echte Gemeinschaft gibt, da ist Gemeinschaft derer, die durch Jesus Christus geeint sind.

Diese Gemeinschaft, die für Bonhoeffer die Kirche ist, hat er bei aller kirchenkritischen Betrachtung für wesentlich gehalten. Seine Kritik an der konkreten Kirche rührt daher, daß die Kirche jener Gemeinschaft, wie sie vom Glauben her intendiert ist, nicht hinreichend entspricht. Bonhoeffer hat aber nie eine neue Kirche, sondern die eine, wahre, konkrete Kirche auch in ihrer Schwachheit bejaht. Wenn er der Bekennenden Kirche angehörte, so nicht, weil er sich von der Reichskirche abspalten wollte, sondern weil er der festen und richtigen Überzeugung war, daß eine Kirche, die die Rassengesetze des Dritten Reiches anerkennt, nicht mehr nur schwache oder sündige Kirche, sondern häretische und somit nicht mehr wahre Kirche ist, weil sie sich fundamental dem Worte Gottes entgegenstellt.

Diese Gemeinschaft des Glaubens war für Bonhoeffer höchst konkret, nicht nur während der extremen Isolierung im Gefängnis. Ein bewegendes Zeugnis für diese Gemeinschaft ist sein Tagebuch vom Amerika-Aufenthalt 1939, als es um die äußerst bedrängende Frage ging, ob er in Amerika in Sicherheit bleiben oder nach Deutschland zurückkehren sollte. Hier denkt er unablässig an die Brüder, hier notiert er: »Gott, schenke mir in der nächsten Woche Klarheit über meine Zukunft und erhalte mich in der Gemeinschaft des Gebetes der Brüder« (GS I 302).

In dieser konkreten, Gemeinschaft begründenden Nachfolge vermag Bonhoeffer nicht nur, Gott als einem konkreten zu begegnen, sondern auch Klarheit über sein Leben und Entscheiden im hier und heute zu finden. Eben darin erweist sich Gott als der konkrete, daß im Glauben an ihn in der Nachfolge Jesu dieses Leben gelebt und die Lebensentscheidungen getroffen werden können.

Bonhoeffers Einstellung zum Thema Frieden

Nach dem bisher Gesagten ist deutlich, daß »konkret» keine Floskel ist oder eine lediglich bekräftigende Bezeichnung, sondern einen Gegensatz darstellt zu einer »prinzipiellen« Verantwortung. Wie es Bonhoeffer darum geht, daß Gott eben kein Prinzip, sondern der konkrete, in der einen bestimmten Situation gegenwärtige und in dieser Situation um seinen Willen befragte Gott ist, so geht es auch darum, daß unsere Verantwortung eine konkrete, in einer bestimmten Situation zu treffende Verantwortung ist. Konkret die Wahrheit zu sagen hängt ab von dem, der spricht, von dem, demgegenüber er spricht, von der Situation, in der er spricht. Nicht anders verhält es sich auch hinsichtlich unseres Themas.

Bonhoeffer hat sich permanent dagegen verwahrt, etwas zu tun, was immer und überall richtig ist; es ging ihm vielmehr darum, zu tun, was hier und heute richtig ist. Meines Erachtens hat er dazu eine grundsätzliche Bemerkung gemacht in einem frühen Brief aus dem Gefängnis an seine Eltern. Hier geht es darum, daß durch Luthers Tat »Folgen entstehen mußten, die genau das Gegenteil von dem waren, was er wollte, und die ihm selbst seine letzten Lebensjahre verdüstert haben und ihn manchmal sogar sein Lebenswerk fraglich werden ließen. Er wollte die echte Einheit der Kirche und des Abendlandes, d. h. der christlichen Völker, und die Folge war der Zerfall der Kirche und Europas ...« (31. 10. 43, WEN 141).

Bonhoeffer beschäftigten die Folgen menschlichen Tuns, das in ehrlicher Absicht aus christlichem Glauben heraus erfolgt ist und doch zu Folgen führt, die seinen Intentionen entgegengesetzt sind. Die Folgen unseres Tuns sind nicht eindeutig prognostizierbar, und gleichwohl müssen wir uns zu unserem Tun entscheiden. Bonhoeffer fragt sich, ob »die großen geistesgeschichtlichen Bewegungen sich durch ihre primären oder ihre sekundären Motive durchsetzten« (ebd.). Und er fügt eine Bemerkung an, die mir hier sehr wichtig erscheint: »Kierkegaard hat schon vor 100 Jahren gesagt, daß Luther heute das Gegenteil von dem sagen würde, was er damals gesagt hat. Ich glaube, das ist richtig – cum grano salis«.

Eben dieses Wort möchte ich den folgenden Überlegungen vorausschicken, weil er uns jeglichem menschlichen Wort und damit auch Bonhoeffers Wort gegenüber warnt vor einem verbalistischen Verständnis bzw. Mißverständnis; denn nach Bonhoeffer hängt die Wahrheit einer Aussage nicht daran, daß diese immer und überall zutreffend ist, daß sie ihrem Wortlaut nach zu verstehen ist ohne den Kontext der jeweiligen Situation, in der und für die sie gemacht ist. Ich möchte Bonhoeffer gerade nicht entschärfen und doch vor einem in diesem Sinne abstrakten Verständnis und Gebrauch einer seiner Aussagen warnen, daß man sie aus ihrem situativen Kontext reißt und auf eine andere Situation anwendet.

Für Bonhoeffer möchte ich dieses deutlich hervorheben, weil er zweifellos 1932 bis 1934 im ökumenischen Kontext so nachhaltig für den Frieden gesprochen hat wie kaum jemand sonst. Achten wir auf den jeweiligen biographischen Kontext, d. h. auf die Situation, in der Bonhoeffer gesprochen hat, so werden die Unterschiede seiner Aussagen verständlich. Ich will mich zunächst auf die beiden Phasen kurz vor und nach der Machtergreifung beschränken, ehe ich dann auf die dritte Phase, nämlich die des Widerstandes, zu sprechen komme.

Es ist also auf die Zeit unmittelbar vor Ausbruch des Dritten Reiches im Juli und August 1932 einzugehen. In seiner Ansprache in Gland geht es Bonhoeffer nicht primär um Krieg und Frieden, sondern um das Fundament der Weltbundarbeit. Dabei dient das Thema Krieg und Frieden zunächst zweimal als Beispiel, ehe er dieses Beispiel dann weiter ausführt: »Und nun stellt das Kreuz hinein in die aus den Fugen geratene Welt ... Und dieses Kreuz Christi ruft nun über die Welt des Hasses, den Zorn und das Gericht und verkündigt den Frieden. Es soll heute kein Krieg mehr sein – das Kreuz will es nicht ... Der Krieg in der heutigen Gestalt vernichtet die Schöpfung Gottes und verdunkelt den Blick auf die Offenbarung ... Die Kirche Christi steht gegen den Krieg für den Frieden unter den Menschen zwischen Völkern, Klassen und Rassen. Aber die Kirche weiß auch, daß es keinen Frieden gibt, es sei denn, daß Gerechtigkeit und Wahrheit gewahrt sind. Ein Friede, der Gerechtigkeit und Wahrheit verletzt, ist kein Friede und die Kirche Christi muß gegen solchen Frieden protestieren. Es kann einen Frieden geben, der *schlimmer ist als Kampf* ...« (GS I 168 f).

Bonhoeffer erkennt also »die Ordnung des *internationalen Friedens*« als »heute Gottes Gebot für uns« (Cernohorske Cupele 1932, ebd. 152). Dieser Friede ist nach Bonhoeffer nicht schon die Wirklichkeit des Evangeliums, nicht schon ein Stück des Reiches Gottes, sondern eine Ordnung der Erhaltung der Welt auf Christus hin (ebd. 152 f).

Es kann hier nicht näher verfolgt werden, in welchem Sinne von Krieg und Kampf die Rede ist. Bonhoeffer stellt jedenfalls den Frieden als die vordringlichste Aufgabe des Weltbundes heraus, eine tatsächlich kühne These. Er warnt freilich vor einem falschen Frieden, nämlich einem Frieden ohne Wahrheit und Gerechtigkeit, und fügt hinzu, daß um diesen falschen Frieden zu beseitigen, tatsächlich Kampf vonnöten sei, denn es gibt einen Frieden, »*der schlimmer ist als Kampf*« (ebd. 169). Ist dies nicht ein Widerspruch zu dem grundsätzlichen Plädoyer für den Frieden?

Die zweite Phase kurz nach der Machtergreifung sieht anders aus; denn nun fallen die Aussagen eindeutig für den Frieden aus. Wohl am ehesten in diese Zeit ist eine Aussage zu datieren, die in dem wichtigen Brief Bonhoeffers an seine Bekannte steht; nach der Mitteilung seiner Erfahrung ernsthaften Christseins und seiner Bemühungen um die Erneuerung der Kirche und des Pfarrstandes nach 1933 fährt Bonhoeffer fort: »Der christliche Pazifismus, den ich noch kurz vorher ... leidenschaftlich bekämpft hatte, ging mir auf einmal als Selbstverständlichkeit auf« (1936, GS VI 368).

Bonhoeffers Überlegungen zum Frieden setzen 1934 bei der Kirche an, nämlich bei der Alternative, ob der Weltbund Zweckverband oder Kirche ist (GS I 212). Nur als Kirche ist der Weltbund in der Lage, ein verbindliches Wort zu verkünden. Und als solche hat er die Aufgabe, den Frieden als das konkrete Gebot Gottes zu fordern: »Friede soll sein, weil Christus in der Welt ist, d. h. Friede soll sein, weil es eine Kirche Christi gibt, um deretwillen allein die ganze Welt noch lebt ... Wie wird Friede? Durch ein System von politischen Verträgen? Durch Investierung internationalen Kapitals...? Oder gar durch eine allseitige friedliche Aufrüstung zum Zweck der Sicherstellung des Friedens? Nein, durch dieses alles aus dem einen Grunde nicht, weil hier überall *Friede* und *Sicherheit* verwechselt wird. Es gibt keinen Weg zum Frieden auf dem Weg der Sicherheit. Denn Friede muß gewagt werden ... Friede ist das Gegenteil von Sicherung ...« (ebd. 217 f).

Bonhoeffer mahnt hier also uneingeschränkt zum Frieden und lehnt das Junktim von Friede und Sicherheit strikt ab. Diesen Frieden soll die Kirche bezeugen, und dazu bedarf es – eine für einen evangelischen Theologen zumal im Jahre 1934 aufsehenerregende Forderung – einer besonderen Instanz: Bonhoeffer fordert das »*große ökumenische Konzil* der *Heiligen Kirche Christi* aus aller Welt« (ebd. 219). Dieses Konzil ist seiner Meinung nach jene Instanz, die er immer wieder gefordert hat in diesen Jahren, da durch sie allein eine Verkündigung tatsächlich als Gottes Wort qualifiziert werden kann.

Widersprechen sich nun die genannten Texte? Achten wir auf die Situationen, so ist inzwischen ein gravierender Unterschied eingetreten. Hitler hat die Macht übernommen und tendiert, wie Bonhoeffer aufgrund der Familieninformationen weiß, von allem Anfang an auf Krieg. Ich gehe davon aus, daß dieser Kontext die Aussagen eindeutig gemacht hat.

Gleichwohl ist Heinz Eduard Tödt, der diesen Überlegungen Bonhoeffers zum Frieden eine instruktive Studie gewidmet hat, Recht zu geben, daß Bonhoeffer die konkreten Bedingungen des Friedens im Grund noch nicht berücksichtigt hat.[2] Situationsanalyse und d. h. Rückgriff auf die politischen Konstellationen und Bemühungen zum Frieden sind für Bonhoeffer später unverzichtbar geworden.

Grundlegend anders sind Situationen und Handeln nach 1938. Für diese dritte Phase ist festzuhalten, was Eberhard Bethge nachdrücklich herausgestellt hat: »In den späteren dreißiger Jahren hatte sich jedoch in Deutschland der Brennpunkt der Problematik verschoben: Im Zentrum stand jetzt der mörderische Antisemitismus im Namen aller Deutschen. Militarismus und Nationalismus richteten nach wir vor, ja schlimmer als früher, Unheil an. Aber jetzt war für Christen in

Deutschland eine andere Verantwortung vordringlich. Sie konnte nicht mit einem pacem facere, wie Bonhoeffer es sich 1932 für die Erhaltungsordnung eines internationalen Friedens überlegt hatte, wahrgenommen werden. Die pazifistische Maxime der Gewalt- und Wehrlosigkeit griff hier nicht.«[3]

Dieses Wort Bethges wiegt schwer: »Die pazifistische Maxime der Gewalt- und Wehrlosigkeit griff hier nicht.« War Bonhoeffer zweifellos kein Militarist geworden, so war er eben doch kein Pazifist im Sinne eines prinzipiellen, radikalen Pazifismus. Hier kehrt wieder, was Bonhoeffer stets auch von Gott gesagt hat: Wie Gott nicht prinzipiell, sondern hier und heute, nämlich konkret Gott ist, so kann der Mensch nicht angemessen handeln aus einem Prinzip heraus, das er einfach an die Wirklichkeit anlegen könnte, um wirklichkeitsgemäß zu handeln, sondern nur aus dem konkreten Auftrag jenes Gottes heraus, der in Jesus Christus selbst in diese Welt gekommen und so konkret für uns geworden ist. Von hierher vertritt Bonhoeffer keinen prinzipiellen, sondern einen situativen Pazifismus, d. h. einen von der Situation abhängigen Pazifismus. Es gibt aber Situationen, wo – gegebenenfalls bei äußerer Ruhe – jeder wirkliche Friede so zerstört ist, daß er durch direktes politisches Handeln der Kirche und möglicherweise durch gewaltsames Handeln von Christen wieder hergestellt werden muß.

Bonhoeffers grundlegende Überlegungen zum ethischen Handeln der Christen

Diesen Tatbestand, genauer gesagt, diesen äußersten Grenzfall in höchster Not hatte Bonhoeffer schon früh, nämlich um 1932/33, bedacht. Vor Beginn des Dritten Reiches bereits formulierte er, daß der Christ Gott nicht auf dem Wege der Weltflucht erreichen kann. Daß der Christ dies nicht durch einen problemlosen Kompromiß mit dieser Welt, die doch auch immer unter der Macht des Bösen steht, vermochte, bedurfte für ihn keiner weiteren Erläuterung.

Es kann also eben nicht darum gehen, sich um des Glaubens willen von der Welt fernzuhalten; denn, wer solches tut, findet »nie Gottes Welt, die in dieser Welt anbricht« (1932, GS III 273). Der unkritisch weltbejahende Kulturprotestant wie der weltverneinende Mönch verfehlen Gott *und* Welt, weil sie sich nicht an Jesus Christus, dem Sohn Gottes in der Welt, orientieren. Allein durch ihn gibt es den Zugang zur Konkretion Gottes wie der Welt. Von Jesus Christus her weist Bonhoeffer daher ebenso jeden »Radikalismus« und »Kompromiß«, d. h. ebenso jede totale Opposition zur Welt wie jeden faulen Frieden mit der Welt zurück, da beide Male die Relation von »Letztem« und »Vorletztem« verfälscht ist (vgl. E 135 ff). Aus der Orientierung an Jesus Christus resultiert auch die jeweils konkrete Gestalt der politischen Verantwortung des einzelnen Christen wie der Kirche überhaupt. Gegen ein kulturprotestantisches sowie ein weltflüchtiges Verhalten plädiert Bonhoeffer dafür, daß diese Verantwortung nicht auf den caritativen Bereich beschränkt bleiben kann. In der »Ethik« stellt er die in diese Richtung weisende Frage: ». . .hat die Kirche nur die Opfer aufzulesen oder muß sie dem Rad selbst in die Speichen greifen?« (E 342).

Diese Frage von etwa 1940 weist auf einen frühen Zusammenhang zurück. 1933 hatte Bonhoeffer in einer sorgfältigen Unterscheidung drei verschiedene Möglichkeiten politischen Handelns formuliert, die nicht nur für die Christen, sondern für die Kirche selbst gelten.

Als erste Möglichkeit (des Normalfalls) gilt es für die Kirche, den Staat »nach dem legitim staatlichen Charakter seines Handelns« zu fragen, womit Bonhoeffer »die Verantwortlichmachung des Staates« meint; als zweite Möglichkeit hat die Kirche den »Dienst an den Opfern des Staatshandelns« wahrzunehmen, nämlich dann, wenn der Staat in beträchtlichem Maße gegen seine legitime Aufgabe verstößt, so daß die Kirche »den Opfern jeder Gesellschaftsordnung in unbedingter Weise verpflichtet ist«; die dritte Möglichkeit kirchlichen Handelns besteht darin, »nicht nur die Opfer unter dem Rad zu verbinden, sondern dem Rad selbst in die Speichen zu fallen. Solches Handeln wäre unmittelbar politisches Handeln der Kirche und ist nur dann möglich und gefordert, wenn die Kirche den Staat in seiner Recht und Ordnung schaffenden Funktion versagen sieht, d. h. wenn sie den Staat hemmungslos ein Zuviel oder ein Zuwenig an Ordnung und Recht verwirklichen sieht« (1933, GS II 48).

Diese Aussagen macht Bonhoeffer im Zusammenhang mit der Judenfrage. Er versteht im Falle eines gravierenden Unrechts ein solches »unmittelbar politisches Handeln«[4] nicht als originäres, sondern als stellvertretendes Handeln der Kirche. Denn sie hat im Falle eben dieses radikalen Versagens nicht als Kirche, sondern als Ersatz für einen sich selbst zerstörenden Staat einzutreten; dieses Handeln der Kirche ist somit »nur der paradoxe Ausdruck ihrer letzten Anerkennung des Staates, . . .den Staat als Staat vor sich selbst zu schützen und zu erhalten« (ebd. 49).

Um dieses »Dem Rad selbst in die Speichen greifen«, ging es dann für ihn selbst, als er nach seiner eigenen Beteiligung am deutschen Widerstand gefragt wurde. Daß die Kirche sich einem solchen umittelbar politischen Handeln entzogen hatte und daß kein Konzil zustande gekommen war, dieses zu beschließen, gehörte dann schon der Vergangenheit an. Nun ist er, der Pfarrer der illegalen Bekennenden Kirche, gefragt. Im Gefängnis sagt er dann von sich: »Anfangs beunruhigte mich auch die Frage, ob es wirklich die Sache Christi sei, um derentwillen ich Euch allen solchen Kummer zufüge; aber bald schlug ich mir diese Frage als Anfechtung aus dem Kopf und wurde gewiß, daß gerade das Durchstehen eines solchen Grenzfalles mit aller seiner Problematik mein Auftrag sei und wurde darüber ganz froh und bin es bis heute geblieben« (18. 11. 43, WEN 147).

Bonhoeffer konnte im Gefängnis sagen, er habe diese Beteiligung am Widerstand guten Gewissens übernehmen können (22. 12. 43, N 195). Doch gehört für ihn zu diesem guten Gewissen, daß der Christ letztlich darauf verzichten muß, von sich aus für ein gutes Gewissen zu sorgen. Bonhoeffer hat verschiedentlich während der Zeit des Widerstandes darüber reflektiert: »Wer hält stand? Allein der, dem nicht seine Vernunft, sein Prinzip, sein Gewissen, seine Freiheit, seine Tugend der letzte Maßstab ist, sondern der dies alles zu opfern bereit ist, wenn er im Glauben und in alleiniger Bindung an Gott zu gehorsamer und verantwortlicher Tat gerufen ist ...« (Nach zehn Jahren, 1943, WEN 14).

Also eben nicht das Prinzip, nicht das gute Gewissen ist oberster Maßstab, sondern ggf. das Opfer auch des Gewissens, um »in alleiniger Bindung an Gott« zu handeln, und zwar auch dann, wenn dieses Handeln Schuldübernahme impliziert (E 255 f und 260 f). Damit redet Bonhoeffer nicht einer Gewissenlosigkeit das Wort, sondern der Verantwortung für den Nächsten und besonders für die kommende Generation (WEN 16,25).

Diese Überlegungen zeigen zur Genüge, daß Bonhoeffer zu verschiedenen Zeiten nicht »prinzipiell« entschieden hat und entscheiden konnte, sondern in den variierten Situationen verschieden entschied und dabei doch seiner Sache, dem Auftrag, treu blieb, wie er ihn im Glauben erkennen konnte. Dazu gehörte freilich eine präzise Situationsanalyse. Über eben diese verfügte Bonhoeffer in besonderem Maße. Durch seine verwandtschaftlichen Beziehungen wußte er, wie bereits gesagt, sehr früh, welchen Weg das Hitler-Regime nehmen wollte, daß nämlich ein Krieg geplant war. Ebenfalls war er schon früh und viel detaillierter als fast alle anderen über das Ausmaß des Unrechts informiert, das das nationalsozialistische Regime beging. Aus solcher Kenntnis des weltlichen Bereichs konnte Bonhoeffer nach 1933 entschieden und ohne irgendeine Einschränkung für den Frieden plädieren; er konnte hier einen Frieden in einer Antithese zur Sicherheit sehen. Später sah er sich gezwungen, am Mord an Hitler mitzuwirken, weil er anders keine Möglichkeit mehr sah, dem Unrecht Abhilfe zu schaffen. Dabei machte er es sich nicht so leicht, aus dieser Notwendigkeit heraus sein Tun zu rechtfertigen. Auch Hitler zu töten, blieb für ihn ein Mord, der gegen das fünfte Gebot verstieß. Es ließ sich das Dilemma nicht aufheben, entweder zu töten und damit eben nicht unschuldig zu bleiben, oder aber auf ein solches Tun zu verzichten und schuldig zu werden durch mangelnden Widerstand gegen das Böse. »Dem Schicksal in die Räder zu greifen«, wovon Bonhoeffer auch 1943 noch einmal gesprochen hat (WEN 23), bedeutete, sich die Hände schmutzig zu machen.

Bonhoeffer hat somit in exzeptioneller Weise christlichen Glauben an Gott und menschliches Leben in dieser Welt zusammen gesehen. Die Ablehnung eines

»Denkens in zwei Räumen«, die Zurückweisung einer Weltflucht hat Bonhoeffer verschiedentlich mit einem besonders plastischen Bild aus dem antiken Mythos verdeutlicht: Der Riese Antäus besaß seine Kraft nur solange, als er mit beiden Beinen auf der Erde stand (vgl. 1928, GS V 267; 1943, GS III 494). Denn wer nur mit einem Bein auf der Erde stehe, so Bonhoeffer, könne auch nur mit einem Bein im Himmel stehen. Der feste Boden, auf dem wir mit beiden Beinen stehen können und müssen, ist, daß Gott in Jesus Ja und Amen zur Welt gesagt hat (21. 8. 44, WEN 426).

Widerstand heute?

Die Konsequenzen aus Denken und Handeln Bonhoeffers können nicht prinzipiell gezogen werden. Weder Bonhoeffers Worte noch die Bergpredigt können, wie zuvor an Bonhoeffer gezeigt worden ist, unmittelbare Handlungsanweisungen in dem Sinne sein, daß sie nur auf unsere Situation angewandt zu werden brauchen, um sie wirklichkeitsgerecht zu bestehen. Vielmehr muß die Situation konstitutiv miteinbezogen werden. Und diese Situation ist niemals dieselbe. Sie zu beurteilen, ist freilich ein höchst kompliziertes, hohe Nüchternheit und schließlich großen Mut erforderndes Unternehmen.

Wie aber ist unsere Situation zu beurteilen? Und davon hängt die weitere Frage ab: Kann heute in unserem Land von berechtigtem Widerstand gesprochen werden? Als Antwort auf diese Frage ist auf kritische Thesen hinzuweisen, die Eberhard Bethge als Referent auf einer Tagung der Evangelischen Akademie Berlin mit dem Thema »Widerstand damals – Widerstand heute« formuliert hat[5]; diese beleuchten schlaglichtartig das eben angedeutete Problem. Die erste These lautet: »Das Thema ›Widerstand damals – Widerstand heute‹ gebraucht die gleiche Vokabel für unterschiedliche Tatbestände ... Sie erweckt die Vorstellung, es handle sich um parallele und ebenengleiche Vorgänge – also um motivationszusammengehörige, zielähnliche, methodenverwandte, einsatzebenbürtige Aktionen.« Sieht man jedoch, so fährt Bethge in den folgenden Thesen fort, genau auf »Motivation, Ziel, Methode, Einsatz« damals und heute, so zeigt sich, daß beide in einer grundlegenden Distanz und Differenz zueinander stehen. Der wichtigste Unterschied ist, daß nach 1933 eine »rassistisch-terroristische Diktatur« und eben nicht mehr jene wenn auch fehlerhafte und schwache Demokratie von 1932 bestand, daß somit die konkrete Situation fundamental unterschieden ist. Im Gegensatz zu jenen, die heute hierzulande »Widerstand« leisten, befanden sich die Beteiligten am Attentat auf Hitler in tiefster Isolation und Anonymität, ohne jede Öffentlichkeit, ohne jede Unterstützung und damit ohne jeden Schutz.

Demgegenüber wendet sich »Widerstand heute« hierzulande nicht gegen eine Diktatur wie die der Nationalsozialisten; er geschieht nicht unter Gefahr des Lebens, nicht unter höchster Vermeidung jeder Öffentlichkeit; er geschieht vielmehr, wie Eberhard Bethge sagt, häufig »aus ungebrochener Ideologie, welche für Rechtfertigung sorgt und ermöglicht, Mitverantwortung für die Vergangenheit abzuweisen«.

Ist es also schwierig, wie Bethge im folgenden sagt, »saubere Definitionen durchzusetzen, weil die Namensgebung selbst ein wesentliches Stück des Kampfes um Durchsetzung der eigenen Sache ist«, so gilt es um so mehr, eine Analyse der Situation vorzunehmen, gilt es, die Menschenrechte zu fördern, Machtakkumulationen, Rechtsdefizite, Lebensbeschränkungen zu bekämpfen.

Es geht darum, den 20. Juli von einseitiger Überhöhung freizuhalten, gleichwohl aber zu erkennen, daß er »Widerstand gegen Verbrechen an Menschenrechten« gewesen ist, der damals lebensgefährlich war, während heute der Kampf für diese Rechte »grundsätzlich legalisiert« und so »Pflicht und damit nicht Widerstand im Sinne des 20. Juli« ist.

Im Hinblick auf diese Ausführungen Bethges ist also noch einmal zu unterstreichen, daß Bonhoeffers Gedanken und Handeln nicht direkt auf uns angewandt werden können. Eine solche Beziehung seiner Worte auf unsere Situation ohne den Nachweis gleicher Extremität wäre ein rein verbales, damit aber prinzipielles und ideologisches Übernehmen seiner Reflexionen, wobei die legitimatorische Absicht offenkundig ist. Bonhoeffer kann unser Handeln und Entscheiden nicht legitimieren und salvieren. Er kann nicht mehr, freilich auch nicht weniger als ein besonders eindringliches Beispiel christlichen Handelns in unserer Welt sein, an dem wir uns zweifellos orientieren können, unsere Situation zu erkennen und uns in ihr vor Gott zu entscheiden.

Also liegt Identität christlichen Handelns eben nicht darin, immer dasselbe zu tun, sondern ggf., nämlich im Extremfall wie bei Bonhoeffer, einmal für Frieden zu plädieren und ein andermal sich an Gewalt zu beteiligen. Es geht also vor allem um die Entscheidung, ob der »status confessionis« gegeben ist, in dem Kirche unmittelbar politisch handeln muß.[6] Es ist gegenwärtig manchen hierzulande nicht erwünscht zu sagen, daß dieser status confessionis für uns nicht gegeben ist, der in anderen Ländern entweder viel nähergekommen oder gar gegeben sein kann. Sollte dieser status confessionis auch für uns näherkommen oder gar eintreten, wäre die Konsequenz für Kirchen und Christen zu ziehen. Es wäre dann aber darauf zu verzichten, sein Tun unter Berufung auf eine Aussage etwa der Bergpredigt zu legitimieren. Bonhoeffer wußte darum, was es heißt, diese eindeutige Sicherheit für sich nicht mehr in Anspruch nehmen zu können. Das eingangs als Leitmotiv zitierte Thema »Was heißt die Wahrheit sagen?« hat Bonhoeffer in einem Rechenschaftsbericht um die Jahreswende 1942/43 »Nach zehn Jahren« mit der Frage aufgenommen: »Sind wir noch brauchbar?« Auf diese Frage sagt er: »Wir sind stumme Zeugen böser Tagen gewesen, wir sind mit vielen Wassern gewaschen, wir haben die Künste der Verstellung und der mehrdeutigen Rede gelernt, wir sind durch Erfahrung mißtrauisch gegen die Menschen geworden und mußten ihnen die Wahrheit und das freie Wort oft schuldig bleiben, wir sind durch unerträgliche Konflikte mürbe oder vielleicht sogar zynisch geworden – sind wir noch brauchbar? Nicht Genies, nicht Zyniker, nicht Menschenverächter, nicht raffinierte Taktiker, sondern schlichte, einfache, gerade Menschen werden wir brauchen. Wird unsere innere Widerstandskraft gegen das uns Aufgezwungene stark genug und unsere Aufrichtigkeit gegen uns selbst schonungslos genug geblieben sein, daß wir den Weg zur Schlichtheit und Geradheit wiederfinden?« (WEN 27).

[1] Vortrag im Rahmen der Vorlesungsreihe »Christlicher Glaube – Einspruch und Widerstand damals und heute« aus Anlaß des 40. Todestages Dietrich Bonhoeffers (9. 4. 1945) an der Universität Frankfurt, 7. 2. 1985. – Im folgenden werden Bonhoeffers Werke nach den üblichen Siglen zitiert, vgl. Eberhard Bethge, Dietrich Bonhoeffer. Theologie, Christ, Zeitgenosse (zit. als DB), München [5]983, 8: WEN = Widerstand und Ergebung. Neuausgabe; E = Ethik; GS = Gesammelte Schriften.

[2] Heinz Eduard Tödt, Bonhoeffers ökumenische Friedensethik, in: Frieden – das unumgängliche Wagnis, hrsg. von Hans Pfeifer (= Internationales Bonhoeffer Forum 5), München 1982, 85–117, 109. Vgl. zu dieser Phase bes. auch Ernst Albert Scharffenorth, Bonhoeffers Pazifismus, in: Schöpferische Nachfolge (= FS. H. E. Tödt), hg. von Christofer Frey und Wolfgang Huber (= Texte und Materialien der Forschungsstätte der Evgl. Studiengemeinschaft A 5), Heidelberg 1978, 363–387; vgl. ferner Christian Löhr; Das Verständnis des Friedens in Dietrich Bonhoeffers Auslegung der Bergpredigt, in: Bonhoeffer-Studien. Beiträge zur Theologie und Wirkungsgeschichte Dietrich Bonhoeffers, hg. von Albrecht Schönherr und Wolf Kötke, München 1985, 98–112.

[3] Eberhard Bethge, Dietrich Bonhoeffers Weg vom »Pazifismus« zur Verschwörung, in: ebd. 118–136, 126.

[4] Hier steht im Text ein schwerwiegender Druckfehler »mittelbar politisches Handeln«.

[5] Eberhard Bethge, Widerstand – damals und heute (1981), in: ders., Bekennen und Widerstehen. Aufsätze – Reden – Gespräche, München 1984, 110–112.

[6] Eberhard Bethge, Status confessionis – Was ist das? Anmerkungen aus dem eigenen Erfahrungsbereich (1982), in: ebd. 50–86.

Heinz Eduard Tödt

Der schwere Weg in den aktiven Widerstand

Dietrich Bonhoeffers theologisch-ethische Reflexionen anläßlich seiner Teilnahme an Umsturzvorbereitungen gegen das Hitlerregime

Vor wenigen Jahren gedachte man in den beiden deutschen Staaten zum vierzigsten Mal des 20. Juli 1944, also des Tages, an dem wieder ein Attentat gegen Hitler mißlang. Man zollte dem Widerstand moralischen Respekt. Aber hinter der Fassade offizieller Feiern und Ausstellungen entfaltete sich massive Kritik, besonders von Historikern und Politologen. Sie richtete sich insbesondere gegen den *bürgerlichen Widerstand*, der überzeugt gewesen ist, daß man nur mit Hilfe des Militärs das Hitlerregime aus den Angeln heben könnte. Häufig wurde dieser Widerstand als konservativ, ja restaurativ beschrieben. So fragte man, ob diese Männer nicht im Grunde nur den alten Machteliten im deutschen Reich wieder zur Herrschaft verhelfen wollten. Obendrein zeigte man, daß manche Generale und Oppositionelle durchaus einem Antisemitismus anhingen, wenn sie auch rechtlose Gewalt zur Lösung der »Judenfrage« ablehnten. Man verwies darauf, daß Gruppen des Widerstandes die Machtstellung des deutschen Reiches in der Mitte Europas bewahren wollten. Waren sie also imperialistisch infiziert? Sie wollten zweifellos einen Staat mit starkem Recht und klarer Autorität. Muß man, heutige Kategorien in die damalige Situation rückprojizierend, zu dem Urteil kommen, daß dieser bürgerliche Widerstand undemokratisch und reaktionär war, daß er als Tradition und Vorbild für uns letztlich doch nicht in Frage kommt?

Ich möchte heute – angesichts einer Fülle derartiger Fragen – den *Weg Dietrich Bonhoeffers* skizzieren, der wie kaum ein anderer in der damaligen Situation die Probleme überdacht hat. Er war einem der wenigen bedeutenden Zentren des Widerstandes angeschlossen. Auch von Bonhoeffer haben sich Gremien und Sprecher der evangelischen Kirche in Deutschland seit dem Kriegsende immer wieder distanziert, während andere ihn für den bedeutendsten evangelischen Blutzeugen unseres Jahrhunderts halten. Glücklicherweise sind Schriften und Dokumente aus dem Nachlaß Bonhoeffers in großer Zahl erhalten. Wir können also prüfen, worum es ihm ging. Das ist gewiß nötig, wenn ein Pastor und Theologe nicht mehr nur mit dem Wort kämpft und die Beseitigung eines Staatsoberhauptes – und das war Hitler jedenfalls – billigt. Dietrich Bonhoeffer lebte damals in einem *Familien- und Freundeskreis*, in welchem Informationen aus vielen Machtzentren des 3. Reiches diskutiert und verarbeitet wurden. Das Ergebnis war eine entschiedene gemeinsame Einstellung und Handlungsweise.

*

Die *Anfänge* dieser Einstellung und des Zusammenwachsens zu einem solchen Kreis liegen im Jahre 1932. Hitler pochte voller Ungeduld an die Türen der Reichskanzlei, seine Partei war die weitaus stärkste und dynamischste im deutschen Reichstag. Am 30. Januar 1933 war es soweit: Hitler war Reichskanzler und hatte nun die staatliche Basis, seine Revolution in Gang zu setzen. Im Bonhoefferschen Familienkreis kam man zu dem

Urteil: »Hitler bedeutet Krieg« – und was das hieß, brauchte man 14 Jahre nach dem Ende des 1. Weltkrieges nicht zu erläutern. Aber angesichts der Friedensreden, der raffinierten Tarnungs- und Täuschungsmanöver des neuen Reichskanzlers bedurfte die anhaltende Opposition gegen ihn nun doch weiterer Begründung. Einige *Gesichtspunkte Bonhoeffers* sollen hier skizziert werden.

Bonhoeffer erkannte, daß in der nationalsozialistischen Revolution ein *schwärmerischer Chiliasmus*, die Erwartung eines tausendjährigen Idealreiches auf Erden steckte. Das mußte zur Auflösung aller rechtsstaatlicher Ordnung führen. In dem Chaos der damaligen Verhältnisse forderte Bonhoeffer einen *Staat mit Autorität* und Verantwortlichkeit, gebunden an das Recht. Heute sagen manche: Ein Staat mit Autorität – das war die Vorstufe zum totalen Staat Hitlers und insofern nicht viel besser als dieser. Aber das ist ein fundamentaler Irrtum: Ein Rechtsstaat mit Autorität war die unter den damaligen Bedingungen allein erreichbare *Alternative* zum *Parteistaat Hitlers* und insofern der schärfste *Gegensatz* zu ihm. Die Juristen in diesem Kreis waren Hans von Dohnanyi, zwischen 1928 und 1938 die meiste Zeit persönlicher Referent des Reichsjustizministers und Kenner sehr vieler Staatsgeheimnisse; Gerhard Leibholz, ein Sohn jüdischer Eltern und Schwager Bonhoeffers, damals schon ein Staatsrechtler von hohem Rang; der Bruder Klaus Bonhoeffer, ein Sozialdemokrat; Rüdiger Schleicher, Ministerialrat im Reichsluftfahrtministerium; Justus Delbrück, Jurist in der Industrie, ab 1940 im Amt Canaris. Dietrich Bonhoeffer erörterte das gemeinsame Rechts- und Staatsverständnis in seinen Stellungnahmen zur politischen Ethik, in seiner Verteidigung der Rechtsstellung der Juden und in seinen Initiativen zum Kirchenkampf. Immer ging es dabei um eine konkrete politisch-staatliche Alternative zum totalen Staat der Nazis. In Wahrheit war dieser nicht total, sondern löste die verfassungsmäßige staatliche Ordnung auf zugunsten eines undurchsichtigen politischen Systems, in welchem die Parteiinstanzen, meist in Rivalität miteinander, um die Vormacht kämpften. Hitler benutzte diese Rivalität, um seine eigene Führungsrolle unangefochten zu behaupten.

Einen *christlichen Konservatismus* und einen *christlichen Staat* lehnte Bonhoeffer entschieden ab. Aber er stellte vom Glauben her durchaus Anforderungen an jeden Staat. Dieser müsse z. B. sich selbst begrenzen und Glaubens- und Gewissensfreiheit üben und der Verkündigung des kommenden Reiches Gottes Raum lassen. Das führte in die Konfrontation: Das Dritte, das Tausendjährige Reich Hitlers, also der Chiliasmus der Nationalsozialisten, stand gegen die Kirche mit ihrer Verkündigung des kommenden Reiches Gottes, das ein Reich der gewaltlosen Liebe und Gerechtigkeit werde. Das Dritte Reich war nicht, wie man üblicherweise meint, nur eine politisch-ideologische Größe. Vielmehr war es Exponent einer *Bewegung mit religiösen Antriebskräften.*

Die nachgeborenen Generationen fragen in Deutschland: Wie konnten damals nur so viele gebildete und informierte Deutsche, wie konnten Wissenschaftler und Generale, Bischöfe und kirchliche Gruppen, Lehrer und Schriftsteller sich zu begeisterten Huldigungen an Hitler hinreißen lassen oder doch zu treuer, unkritischer Gefolgschaft bereitfinden? Mit Ehrgeiz und Opportunismus, mit Anpassung aus Angst vor dem Terror und mit dem Hinweis auf die Alternativlosigkeit in der damaligen Lage ist das nicht zureichend zu erklären. Viele haben tatsächlich *begeistert* und aufopferungsvoll mitgemacht. Natürlich spielte die schlimme Lage am Ende der Weimarer Republik,, die furchtbare Massenarbeitslosigkeit und der seit den Versailler Friedensverträgen tief verletzte Nationalstolz der Deutschen eine erhebliche Rolle. Entscheidend aber war, daß die Bewegung seit dem 30. Januar 1933 eine geradezu *sittlich-religiöse Inbrunst* im Einsatz für das neue Deutschland zu erzeugen wußte. Daher war die Mehrheit bereit, die Verfolgung von Kommunisten und Oppositionellen als notwendig, die Diskriminierung der Juden als eine unvermeidliche Begleiterscheinung, die Konzentrationslager als Umerziehungsinstitutionen hinzunehmen oder zu übersehen.

Wie war es möglich, solche Begeisterung zu erzeugen? Hitler hat in raffiniertem Machiavellismus sich religiöser Vorstellungen und Assoziationen bedient und die Kirche durch Versprechungen gelockt. Seine Propaganda war hochmodern. Aber das alles gehört zum Instrumentarium. *Im Kern der »Bewegung« fanden sich durchaus religiöse Antriebe und Weltdeutungskategorien.* Am auffälligsten sind die kultischen Strukturen und Stimmungslagen z. B. der Reichsparteitage, die Verehrung der Blutzeugen vom 9. Nov. 1923, die Weihe der neuen Fahnen mit Hilfe der sog. Blutfahne und die Vergottung der nordischen Rasse. Ich bringe hier nur ein Zitat aus Hitlers Hauptwerk »Mein Kampf«. In dem Kapitel über »Weltanschauung und Partei« wird erklärt, daß die menschliche Kultur letztlich allein vom arischen Menschen getragen wird. Diesen Träger zu vernichten ist ein fluchwürdiges Verbrechen, dessen sich der Jude mit seinen Weltherrschaftsplänen schuldig macht. Hier folgt wörtlich der Satz: »Wer die Hand an das höchste Ebenbild des Herrn zu legen wagt, frevelt am gütigen Schöpfer dieses Wunders und hilft mit an der Vertreibung aus dem Paradies« (421). *Hitler* bediente sich hier nicht nur religiöser Vorstellungen, sondern *er lebte in ihnen* und wurde von ihnen beherrscht. Da gab es die hehre Lichtgestalt, die Verkörperung des Heiligen, den arischen Menschen. Ihm stand die satanisch-zerstörerische Gestalt, der ewige Jude, gegenüber, die Verkörperung der Finsternis. Also primitives, dualistisches Weltbild, in dem gut und böse klar zu identifizieren waren. Dieses Weltbild hatte Macht über Hitler selbst: In der Krise des 2. Weltkrieges im Jahre 1942 z. B. zog er dringend benötigte Kräfte von der Front ab, um sie für das höchste Ziel, die Judenvertilgung nach den Plänen der Endlösung, einzusetzen. Hätte Hitler pragmatisch-zynisch kalkuliert, so hätte er die Millionen europäischen Juden nur für die Rüstung arbeiten lassen – nach der Manier Stalins, also bis zum Umfallen. Das hätte seine Kriegsführung gestärkt. Aber nicht einmal die gefährliche Kriegslage ließ den metaphysischen Haß gegen die Juden zurücktreten, und wäre es auch nur für ein paar Jahre gewesen.

Der religiösen Negation der Juden stand die *religiöse Erhöhung des arischen Menschen* gegenüber. Es ging hier um den »neuen Menschen«, der in selbstloser Opferbereitschaft sein eigenes Leben dem Tausendjährigen Reiche aufzuopfern bereit sein würde. In mitreißenden Liedern kam das zum Ausdruck. Ich zitiere einen symbolkräftigen Vers: »Unsere Fahne flattert uns voran. Unsere Fahne ist die neue Zeit. Und die Fahne führt uns in die Ewigkeit, ja die Fahne ist mehr als der Tod.« Neue Zeit, Todesüberwindung, Ewigkeit, das sind assoziationsreiche religiöse Symbole, welche die Hitlerbewegung virtuos benutzte.

Wer die Aufgabe der *Kirche* darin sah, die *Religiosität* der Menschen, insbesondere der Angehörigen des eigenen Volkes, zu pflegen, der konnte in der nationalsozialistischen Wendung zur Religion eine hoffnungsträchtige Perspektive sehen. Kommunisten, atheistische Sozialisten, Freidenker und andere hatten die Religion denunziert. Hitler bot den Kirchen auf der Basis des »positiven Christentums« ein Bündnis an, das natürlich die völkisch religiösen und die Deutschgläubigen einschließen mußte. Wer nur so allgemein volkskirchlich orientiert war, der konnte das Bündnis mit dieser übermächtigen Volksbewegung keinesfalls ausschlagen. Religiös wollten doch beide sein, die Nationalsozialisten und die Mitglieder der christlichen Kirchen. Wer nur auf Religion sah, dem fehlten alle Kriterien, anhand derer er die Unvereinbarkeit christlichen Glaubens mit solcher Religiosität erkennen konnte.

Bonhoeffer hatte einen scharfen Blick für die *Perversion des Glaubens in dieser Art Religion.* Nach seinem Urteil handelte es sich darum, daß das irdische Reich der Deutschen aus einer weltlich-geschichtlichen Einrichtung im Vorletzten heidnisch religiös hinaufstilisiert wurde zu etwas Ewigem, welches den Menschen ganz beansprucht. Der Führer des Reiches beanspruchte für sich eine *messianische*, eine heilschaffende Funktion. Das brachte der Führerkult zum Ausdruck. Nach Bonhoeffers Urteil bleibt der *Staat* nur bei seiner Sache, wenn er *vorläufige* Funktionen ausübt. Seine *Grenzen* liegen im Anspruch Gottes und im unaufhebbaren Recht der Bürger. Bonhoeffer erkannte früh, wie die messianisch überhöhte Reichsidee den an ein bestimmtes Recht gebundenen Staat aushöhlte und die Kirche mit der politischen Macht in Konflikt bringen mußte.

Es bedurfte also unbedingt der *Kritik am Führerkult.* Am 2. Tag nach Hitlers Machtergreifung hielt Bonhoeffer einen Rundfunkvortrag, der vor seiner Beendigung von der Sendeleitung abgeschaltet wurde. Hier sprach er von Führern, die zum *Idol der Verführten* werden und so an den Geführten wie an sich selbst verbrecherisch handeln. In dieser Kritik steckt der theologische Grundsatz: Wo der Mensch sich selbst vergottet und nicht mehr wissen will, daß er vor Gott verantwortlich ist, da beschwört er Gefahren herauf, an denen er zerbrechen wird.

Es war also jedesmal *theologische* Kritik an den pervertiert religiösen Zügen des Nationalsozialismus, welche Bonhoeffer in eine Opposition trieb, die unvermeidlich zugleich eine politische sein mußte.

*

Es war leicht abzuschätzen, daß Bonhoeffer bei den sieges- und erfolgstrunkenen Nationalsozialisten selbst kein Gehör mit Kreis, nämlich an seine *evangelische Kirche*, um sie zu warnen und aufzurütteln. Aber hier war die Mehrheit noch auf Jahre hinaus von dem »positiven Christentum«, von der Religiosität der Nationalsozialisten und von ihren Versprechungen geblendet. Es fehlte den Deutschen Christen ebenso wie der kirchlichen Mitte, welche die Mehrheit war, an der Fähigkeit, hinter der Fassade die Realität zu erkennen; es fehlte die Begabung, die Geister zu prüfen, die in dieser Religiosität und Ideologie sich kundgaben.

Der erste und bleibende *Konflikt* entstand *für Bonhoeffer* an den *Judendiskriminierungen* der neuen Gesetzgebung. Der § 3 des »Gesetzes für die Wiederherstellung des Berufsbeamtentums« vom 7. April 33 schloß Nicht-Arier mit unbeträchtlichen Ausnahmen von der Beamtenstellung aus. Die Deutschen Christen wollten diesen »Arierparagraphen« auch in die Kirche übertragen. Am 14. April 1933 schrieb Bonhoeffer einem Freund: »Auch die Judenfrage macht der Kirche sehr zu schaffen, und hier haben die verständigsten Leute ihren Kopf und ihre Bibel gänzlich verloren« (Gesammelte Schriften = GS I, 37). Es war klar, daß niemand, der sich an die Bibel hielt, den neuen Rassismus mitmachen konnte. Bonhoeffer aber hat sofort gesehen – fast als einziger zu diesem frühen Zeitpunkt –, daß an der Judenfrage sich vieles, vielleicht alles für den Staat und für die Kirche entscheiden werde. Sein heute berühmter Aufsatz »Die Kirche vor der Judenfrage« (GS II, 44 ff), April 1933, fordert dazu auf, die Solidarität mit getauften und ungetauften Mitbürgern durchzuhalten, und sieht voraus, daß um dieser Sache willen der Kirche sogar unmittelbar politisches Handeln, also aktiver Widerspruch und Aufruf zu aktivem Widerstand geboten sein könnte. Diese Einstellung ist im ganzen *Bonhoeffer-Dohnanyi-Kreis* durchgehalten worden. Nahezu alle haben in den qualvollen *Vernehmungen* vor ihrer Hinrichtung angegeben, daß die Judenverfolgung ein Hauptgrund für ihr Widerstandshandeln gewesen sei. Und alle haben von 1933 bis 1943, solange sie in Freiheit waren, auf vielfältige Weise für die Rechte der Juden und für sonstige Hilfe gekämpft, besonders erfolgreich Hans von Dohnanyi im Justizministerium. Es ist also hier eine erste Korrektur an dem historischen Pauschal-Urteil über den angeblich bürgerlich-konservativen Widerstand vorzunehmen: Von Anti-Semitismus kann jedenfalls im Bonhoeffer-Dohnanyi-Kreis keine Rede sein, wohl aber von einer ganz überraschenden Solidarität mit den jüdischen Mitbürgern.

In den Jahren von 1933–1939 hat Bonhoeffer seinen Kampf gegen den Nationalsozialismus vor allem theologisch mit der Bekennenden Kirche geführt – freilich schon in der Außenseiterposition eines »Radikalen«. Als er das der Bekennenden Kirche zugehörige »illegale« Prediger-Seminar Finkenwalde bei Stettin übernahm, kam es ihm darauf an, Theologen auszubilden, welche über genügend geistliche Konzentration und Widerstandskraft verfügten, ihren Weg in Armut, Ungewißheit und Gefahr unbeirrt zu gehen. Seine Bücher »Nachfolge« und »Gemeinsames Leben« spiegeln dieses Ziel ganz deutlich. Er lehrte nicht politische Opposition gegen die Nazis, sondern vermittelte die geistliche Kraft, die für einen vielleicht lebenslänglichen Weg in unterdrückten, aber widerstehenden Gemeinden und Gruppen nötig sein würde. Zu einer solchen Einstellung konnte er deshalb verhelfen, weil ihn Anfang der dreißiger Jahre die *Bergpredigt Jesu* gepackt hatte und nicht mehr losließ. Sie war für ihn der große Führer auf dem Weg der Christusnachfolge. Aber ein Führer nur für den, der auf die Verheißungen und die Weisungen der Bergpredigt *mit innerstem Gehorsam antwortete.* Dieser Gehorsam hatte für Bonhoeffer ganz konkrete Folgen: Er konnte es nicht mit seinem Gewissen vereinbaren, Wehrdienst in Hitlers Armee zu leisten. *Wehrdienstverweigerung* hieß damals normalerweise: Verurteilung zum Tode. Als der Krieg nahte, wich Bonhoeffer in die USA aus. Nicht zuletzt hatten seine Brüder aus der Bekennenden Kirche ihn zu diesem Schritt bewegt; denn, wenn Bonhoeffer als einer ihrer bekannten Vertreter, ein Mann mit etlichen Rede-, Aufenthalts- und Reiseverboten seitens der Gestapo den Wehrdienst verweigerte und sich verurteilen ließ, dann würde die ganze Bekennende Kirche als unpatriotisch und pazifistisch beschimpft und von der Gestapo noch mehr verfolgt werden. In ihrer damaligen Schwäche fühlte sich die Kirche diesem Druck nicht gewachsen, zumal die meisten Bonhoeffers Konsequenz aus der Bergpredigt nicht wirklich teilten.

In den USA, wo man ihm eine wichtige Arbeit anbot, erfaßte Bonhoeffer alsbald eine tiefe Unruhe. In einem Brief an Reinhold Niebuhr schrieb Bonhoeffer: »Es war ein Fehler von mir, nach Amerika zu kommen. Ich muß während dieser schweren Zeit der Geschichte unseres Landes mit den Christen in Deutschland zusammenleben. Ich hätte kein Recht, am Wiederaufbau kirchlichen Lebens nach dem Kriege teilzunehmen, wenn ich nicht die Nöte dieser Zeit mit meinen Leuten teilen würde . . .« Bonhoeffer kehrte umgehend zurück und mußte nun folgerichtig im Widerstand landen. Es gelang seinem Schwager Dohnanyi, der 1939 von Oberst Oster in die *Abwehr* geholt worden war, Bonhoeffer für diese zu verpflichten. So wurde er vom Wehrdienst und vom Eid freigestellt.

Aber was tat ein evangelischer Pastor, ein Mann der Bergpredigt, bei der militärischen Abwehr, die gegen Feindspione zu kämpfen hatte und Informationen über die Kriegsgegner einholen mußte? Genau genommen war er nur für die Widerstandsgruppe um Oster und Dohnanyi tätig, freilich unter ständiger Verschleierung dessen, was er wirklich tat. Bonhoeffer benutzte seine ökumenischen Beziehungen, besonders zu Visser't-Hooft in Genf und zu Bischof Bell in England, um das westliche Ausland über Vorstellungen zu informieren, die man in diesem Kreise des Widerstandes vom Frieden nach einem Sturz Hitlers, von der Neuordnung Europas und von Deutschlands künftiger Stellung unter den Völkern hatte. Diese Aktivitäten liefen parallel zu

Verhandlungen, die Josef Müller im Auftrag der Abwehr über den Vatikan führte.

*

Der *Widerstand* hatte zwei *Hauptprobleme*: Einmal die Beseitigung Hitlers als des Mannes, auf den fast alle Verantwortlichen in Deutschland vereidigt waren; zum andern die Verständigung mit den Kriegsgegnern, besonders mit England, über einen Frieden, der auch für Deutschland akzeptable Bedingungen enthielt. Denn die Generale und Politiker des Widerstandes fürchteten mit Recht, daß nach dem Tode Hitlers bei dem im Banne des Führers stehenden deutschen Volk eine Dolchstoßlegende aufkommen würde mit dem Vorwurf, der Widerstand hätte das deutsche Reich der Willkür seiner Feinde ausgeliefert.

Bonhoeffer hat seine ökumenischen Verbindungen benutzt, um Klärungen über einen *Frieden nach Hitler* herbeizuführen. Das ist die eine Seite seines Tuns in der Abwehr. Die andere Seite bestand darin, daß er die *Gewissens- und Sachprobleme des Widerstands* durchdachte und sie unter anderem in seinen Ethik-Manuskripten theologisch aufarbeitete. Er rückte also in die Funktion eines theologischen Beraters ein, der nicht zuletzt die schweren Gewissenskonflikte der am Widerstand Beteiligten zu durchdenken hatte. Am Anfang des Buches »Widerstand und Ergebung« (Briefe und Aufzeichnungen aus der Haft, Neuausgabe seit 1970: WEN) steht ein Text, der vor der Verhaftung am 5. April 1943 entstand. Er heißt: »Nach zehn Jahren. Rechenschaft an der Wende zum Jahre 1943.« Überreicht an Oster, Dohnanyi und Bethge. Diese 16 Druckseiten geben uns einen tiefen Einblick in das Denken und die Problemverarbeitung dieses Widerstandskreises.

Um welche Gewissenskonflikte handelte es sich? Oberst Oster hatte zum Beispiel den Termin des deutschen Angriffs auf Westeuropa bewußt den Holländern verraten. Damit fiel das Überraschungsmoment weg, und der Angriff gegen einen vorgewarnten Gegner konnte viel höhere Verluste kosten. Oster nahm also in Kauf, daß manche seiner Kameraden bei diesem Angriff ihr Leben verlieren würden, ja, daß der Angriff verlustreich scheitern konnte. Erst dann, nach dem militärischen Desaster, würden sich führende Generäle entschließen, das Hitlerregime zu beseitigen. Solcher Landesverrat mußte schwer auf der Seele eines pflichtbewußten Offiziers lasten. Bonhoeffer schrieb dazu in jenem Text: In der Beschränkung auf das Pflichtgemäße kommt es niemals zu dem Wagnis der Tat, die nur auf eigene Verantwortung hin geschehen kann und die allein geeignet ist, das Böse im Zentrum zu treffen. »Der Mann der (bloßen) Pflicht wird schließlich auch noch dem Teufel gegenüber seine Pflicht erfüllen müssen. Wer es aber unternimmt, in eigenster Freiheit in der Welt seinen Mann zu stehen, wer die notwendige Tat höher schätzt als die Unbeflecktheit des eigenen Gewissens und Rufes . . ., der hüte sich davor, daß ihn nicht seine Freiheit zu Fall bringe. Er wird in das Schlimme willigen, um das Schlimmeres zu verhüten, und er wird dabei nicht mehr zu erkennen vermögen, daß gerade das Schlimmere, das er vermeiden will, das Bessere sein könnte. Hier liegt der Urstoff von Tragödien« (WEN 13).

Es gab für Bonhoeffer keinen Zweifel, daß die *freie Tat* gewagt werden mußte. Wer sie nicht wagen würde, der bliebe in seiner Pflichterfüllung ein Handlanger im Banne des Teufels, das heißt er diente dem völkermordenden Treiben Hitlers. Bonhoeffer anerkennt also den Landesverrat von Oster als notwendige, verantwortliche Tat, er gibt seinem Gewissen in dieser Sache Gewißheit. Aber er beschönigt nicht. Oster hatte in das Schlimme gewilligt, um das Schlimmere zu verhüten. Schlimm ist der Landesverrat ebenso wie die dauernde Tarnung, Verstellung, Lüge, welche der Widerstand fordert. Dieses Verhalten belastet mit unvermeidlicher Schuld. Hinzu kam, daß es sich um ein risikoreiches Wagnis handelte, dessen Ausgang und öffentliche Folgen nicht voll zu überblicken waren. Was die persönlichen Folgen betrifft, so wußte jeder, daß Landesverrat und Hochverrat die Todesstrafe nach sich zogen und – unter den Nazis – die Sippenhaft. Entzog sich ein Verdächtiger oder Verurteilter durch Flucht der Haft oder der Hinrichtung, dann hafteten die Familienangehörigen. Die Ehefrauen der Männer des 20. Juli wurden in Konzentrationslager eingewiesen, die unmündigen Kinder von ihnen getrennt und in besonderen Heimen einer Umerziehung unterworfen. Allen drohte der Tod. Pläne für die Flucht Dietrich Bonhoeffers sind wegen der drohenden Sippenhaft aufgegeben worden. Er, sein Bruder Klaus und zwei ihrer Schwäger kamen 1945 um. Bonhoeffer schrieb an der Wende zum Jahre 1943 voller Vorahnung: »Der Gedanke an den Tod ist uns in den letzten Jahren immer vertrauter geworden ... Wir können den Tod nicht mehr so hassen, wir haben in seinen Zügen etwas von Güte entdeckt und sind fast ausgesöhnt mit ihm. Im Grunde empfinden wir wohl, daß wir ihm schon gehören und daß jeder neue Tag ein Wunder ist« (WEN 26). Beides spricht sich hier unverkürzt aus: ein ungebrochener Lebenswille und das Wissen um die tödlichen Gefahren des Widerstandes.

Für die meisten Generale, die man für die Verschwörung zu werben versuchte, war der *Eid*, mit dem sie sich auf den Führer verpflichtet hatten, das größte Gewissensproblem. Etliche unter ihnen waren bereit zu handeln, wenn ein irgendwie autorisierter Mann die Verantwortung übernahm und den *Befehl* gab. Handeln auf Befehl – das war das soldatische Ethos! Handeln *als freies Glaubenswagnis* in Verantwortung vor Gott – das war Bonhoeffers Konzept. Der Eid auf den Führer war hinfällig, weil *beide* sich im Eid verpflichten: der, der ihn leistet, und der, der ihn fordert. Im Eid entsteht eine wechselseitige Rechtsbindung, die zerbrochen ist, wenn eine Seite nicht dem Eid entsprechend handelt. Und Hitler hatte mit seinem Völkermord die Grundlage des Eides zerstört. Aber keineswegs, so erklärte Bonhoeffer, sei darum das eigene Verhalten schuldfrei. Am Ende des Textes »Nach 10 Jahren« stehen die Sätze: »Wir sind (nur) stumme Zeugen böser Taten gewesen (anstatt laut anzuklagen), wir sind mit vielen Wassern gewaschen, wir haben die Künste der Verstellung und der mehrdeutigen Rede gelernt, wir sind durch Erfahrung mißtrauisch gegen die Menschen geworden und mußten ihnen die Wahrheit und das freie Wort oft schuldig bleiben, wir sind durch unerträgliche Konflikte mürbe oder auch zynisch geworden – sind wir noch brauchbar?« Diese schonungslose *Frage nach der eigenen Schuld* und der eigenen Brauchbarkeit war die eine Seite der Sache. Bonhoeffers Antwort lautete hier: daß nichts übrig bleibe, als auf die Schuldvergebung durch Jesus Christus zu hoffen. Die andere Seite war die Frage nach dem entscheidenden *Kriterium des Tuns*. Dazu erklärte Bonhoeffer: »Die letzte verantwortliche Frage ist nicht, wie *ich* mich heroisch aus der Affäre ziehe, sondern wie eine kommende Generation weiterleben soll« (WEN 27). Konkrete Verantwortung für die Zukunft der nächsten Generation, die einst fragen wird, was man gegen die Macht des Bösen getan habe, hatten die Männer des Bonhoefferkreises im Auge. Auf sie stellte Bonhoeffer seine Gewissensberatung ab.

*

Eine Verkettung unglücklicher Umstände gab dem Sicherheitsdienst der SS den nötigen Vorwand, das Ehepaar Dohnanyi, Dietrich Bonhoeffer und Josef Müller mit seiner Frau zu verhaften. Aber die Verhöre gegen sie führten nicht zum Erfolg – sie verstanden zu schweigen und wußten, was sie zu sagen hatten. Im Zuchthaus entstanden dann die berühmten Texte, die in dem Band »Widerstand und Ergebung« von Eberhard Bethge publiziert worden sind: eine Generalrevision der Theologie mit dem Ansatz zu ganz neuen Perspektiven. Ernst Feil wird in dieser Vortragsreihe darüber sprechen.

Erst der mißlungene 20. Juli 1944 wurde dem Bonhoeffer-Dohnanyi-Kreis zum Verhängnis. Nun fand man unzweifelhaft belastendes Material. Man erkannte, daß Dohnanyi bis zum April 1943 das »geistige Haupt« der Verschwörung mit ihrem Zentrum in der Abwehr gewesen war. Dennoch sind die meisten aus diesem Kreis nicht aufgrund eines Urteils des Volksgerichtshofes, sondern durch unrechtmäßige Standgerichtsverfahren der SS, welche dem tatsächlichen Mord ein legales Mäntelchen umhängen sollten, zum Tode gekommen, durch Erhängen oder Genickschuß. Wir haben viele Dokumente und Abschiedsbriefe aus dieser

Zeit, zum Teil 1984 veröffentlicht durch Eberhard und Renate Bethge: »Letzte Briefe im Widerstand«. Hier gibt es eine ganz persönliche und eine öffentliche Seite. Das *Persönliche* tritt in den Briefen an die eigene Frau und die Kinder eindrucksvoll zutage. Hier zeigt sich eine *verhaltene protestantische Frömmigkeit.* Die Schwester Bonhoeffers, Christine von Dohnanyi, schrieb ihren Kindern aus der Haft: »Wir haben ja miteinander nie viel von religiösen Dingen gesprochen ... Aber ich will Euch sagen, ich bin *so* fest davon überzeugt, daß denen, die Gott lieben, alle Dinge zum Besten dienen ...., daß ich ... wirklich nicht einen Augenblick verzweifelt war. Ihr werdet Euch sicher wundern, daß ich das sage, von der Ihr doch sicher geglaubt habt, daß ich dem allem ferner stehe. Bei mir ist es eben so, daß ich schon im Gefängnis sitzen muß, um so etwas auszusprechen und Euch damit zu trösten, daß ich nicht so leide, wie Ihr das denkt. Lies den Spruch, den wir in Deine Bibel schrieben, Bärbelchen ...« (68). Das ist ein sehr typischer Brief für diese Gruppe. Der Jurist *Klaus Bonhoeffer*, ursprünglich ein recht kirchendistanzierter Mann, der gelegentlich über Dietrichs Theologiestudium gespottet hatte, schrieb Ostern 1945 im Abschiedsbrief an die Kinder: »Die Zeiten des Grauens ... führen den Menschen die Vergänglichkeit alles Irdischen vor Augen. Hier *beginnt* alle Weisheit und Frömmigkeit, die sich vom Vergänglichen dem Ewigen zuwendet. Das ist der Segen dieser Zeit ... Bleibt nicht im Halbdunkel ... Dringt in die Bibel ein und ergreift selbst von *dieser* Welt Besitz, in der nur gilt, was ihr erfahren und in letzter Ehrlichkeit erworben habt. Dann wird Euer Leben gesegnet und glücklich sein. Lebt wohl. Gott schütze Euch.« Wer solche Texte aus den Jahren 1944/45 studiert, wird mit Erstaunen feststellen, daß viele von den Hingerichteten ihren Tod letztlich als ein Zeugnis für Jesus Christus akzeptiert haben. Und das in einer Zeit, in welcher Kirche und Christentum zu verfallen schienen.

*

Am Anfang habe ich die heutige Kritik am bürgerlichen Widerstand erwähnt. Beziehe ich sie nun auf diese recht zentrale Gruppe, so erweist sie sich jedenfalls hier als unzutreffend. Konservativ im Sinne von restaurativ war dieser Kreis keineswegs. Man wollte mit der *Arbeiterbewegung* zusammen handeln, und Klaus Bonhoeffer hat die Kontakte vermittelt, zum Beispiel zu dem früheren Reichstagsabgeordneten der SPD Julius Leber, zu dem Gewerkschaftsführer Wilhelm Leuschner und damit zu deren Freunden Carlo Mierendorff und Haubach und dem katholisch orientierten Gewerkschaftler Jakob Kaiser und ihrem Rechtsanwalt Josef Wirmer. Gemeinsam kämpfte man für den Rechtsstaat, weil man die mörderische Willkür der Partei und der im Reich Herrschenden beseitigen wollte. Man erstrebte eine europäische Friedensordnung. Und schließlich: Alle Angehörigen des Bonhoeffer-Dohnanyi-Kreises haben sich entschieden gegen die Judendiskriminierung jeder Art gewendet. In ihren Vernehmungen nach dem 20. Juli 1944 gaben sie übereinstimmend drei Gründe für den Umsturzplan gegen Hitler zu Protokoll: die Konzentrationslager, den Kirchenkampf, die Judenverfolgung. Beizufügen ist das alte Motto von 1932/33: Hitlers Kriegstreiben, das zum Ruin Deutschlands, Europas und der westlichen Zivilisation führen mußte. Politisch rational gesehen waren Judenverfolgung, Konzentrationslager, Krieg und Kirchenkampf ebenso unrechtmäßig wie unklug. Aber Hitlers Motivation war eben nicht rational, sondern irrational, Ausfluß einer pervertierten Religion. Verhängnisvoll war es, daß weite Kreise im deutschen Volk und in den Kirchen sich von dieser Pseudo-Religiosität mitreißen ließen und nicht fähig waren, klar den Gegensatz von christlichem Glauben und völkischer oder nationalsozialistischer Gläubigkeit zu erkennen. Aus vielen Gründen, aber besonders um dieser letzten Unklarheit willen waren sie anfällig für Hitler.

Heute ist wieder das unbestimmte Reden von Religion Mode geworden, und zwar oft in direktem Widerspruch zu Bonhoeffers Theologie. Bonhoeffer hatte einerseits die pervertierte Religion der Nationalsozialisten und Deutschen Christen vor Augen und andererseits die bürgerliche, auf Gefühlsbedürfnisse gegründete, bloß innerliche, aber im konkreten Leben folgenlose Religiosität. Von diesen Voraussetzungen her konnte er die These formulieren, daß wir einer religionslosen Zeit entgegengehen, da beides zusammenbrechen würde. Seine Frage in dieser Lage hieß: Wie nimmt Jesus Christus gerade auch die in Anspruch, für welche die Religion der völkischen und der bürgerlichen Art unannehmbar geworden ist? Ich denke, auch heute ist es ehrlicher, nicht dem Modetrend Religion nachzulaufen, sondern kritisch zu bleiben und nach echtem Glauben und seinen Konsequenzen zu fragen.

*

Ich fasse zusammen. Auf dem Weg in den aktiven Widerstand konnte man nicht schuldlos bleiben, weil man gegen Berufspflicht und Eid, gegen bestehende Gesetze und normale moralische Verpflichtungen verstoßen mußte. Bonhoeffer erklärte, daß die Deutschen die Größe und die Kraft des Gehorsams in ihrer Geschichte erfahren hätten, daß sie nun aber eines ganz neu lernen müßten, die frei verantwortete, mit Schuld verbundene Tat. Schuld war auch mit den Mitteln verbunden, zu denen der Widerstand greifen mußte: Täuschung und Gewalt bis hin zur Tötung. Darum war der Weg in den Widerstand für einen bewußten Christen sehr schwer, aber für den Theologen Bonhoeffer unausweichlich verpflichtend.

In ein heute verbreitetes Bild vom bürgerlichen Widerstand paßt die Bonhoeffer-Dohnanyi-Gruppe nicht hinein. Sie war nicht konservativ im Sinne von restaurativ; ihr lag nichts an der Restitution der alten Machteliten, sondern sie war voller Kritik an der schwankenden Generalität, die allein die wirksamen Mittel zum Umsturz in der Hand hatte; sie redete sehr deutlich über das Versagen des Bürgertums; sie war nicht antisemitisch, sondern hat für getaufte und ungetaufte Juden sich fast bedingungslos eingesetzt und wurde auch deswegen angeklagt und für schuldig befunden; sie war auch nicht imperialistisch, sondern suchte von 1938 an nach einem Verständigungsfrieden mit England, gegen Hitler – und das innerhalb eines freien Europa.

Von einem Protestantismus aus, der nach 1933 unter dem Druck der Gewissenskonflikte zu einem vertieften persönlichen Glauben führte, hat diese Gruppe die ethischen und religiösen Probleme des Widerstandes in leidenschaftlichen Bemühungen durchkämpft. Eine historische Betrachtung, welche das nicht nachvollzieht, bleibt zu flach in der Beurteilung dieser Männer und Frauen. Das Ethos der Gruppe läßt sich in eine ganz einfache Formel aus Bonhoeffers Haftaufzeichnungen fassen, geschrieben im Mai 1944 in der Zelle des Militärgefängnisses in Tegel: »Unser Christsein wird heute nur in zweierlei bestehen: im Beten und im Tun des Gerechten.«

Ernst Feil

Gewissen und Entscheidung

Der Beitrag Dietrich Bonhoeffers[1]

Sicher ist es richtig, unter dem Gesamtthema »Glaube als Widerstandskraft« neben Alfred Delp und Edith Stein auch von Dietrich Bonhoeffer zu sprechen. Doch fühle ich mich gerade von Bonhoeffer her zu einer Ergänzung, vielleicht genauer gesagt, zu einer Fundierung dieses Themas gedrängt, denn von Bonhoeffer her müßte vom »Glauben als Zustimmungskraft« gesprochen werden, ehe man von ihm als »Widerstandskraft« sprechen dürfte. Nicht umsonst sind die postum edierten Briefe mit dem von Bonhoeffer formulierten Motto »Widerstand und Ergebung« erschienen.

Tatsächlich war für Bonhoeffer sein Widerstand etwas »Vorletztes« im Vergleich zu jenem »Letzten«, auf das der Glaube hofft, freilich nicht unter Verachtung, sondern unter Beachtung des »Vorletzten«, das um des »Letzten« willen das »Vor-*Letzte*« (E 146) ist. Es ist aber dieses »Vorletzte« dadurch in seinen Rang eingesetzt, daß Gott zu ihm in Jesus Christus Ja gesagt hat, es selbst angenommen hat.

Aus dieser Mitte heraus geht es für Bonhoeffer bei seiner Überlegung zu wirklichkeitsgemäßem Handeln um Zustimmung und Widerspruch zum Faktischen, aber eben nicht um Widerspruch vor der Zustimmung. Während des Widerstandes hat er in ethischen Überlegungen reflektiert: »Anerkennung des Faktischen und Widerstand gegen das Faktische sind im echten wirklichkeitsgemäßen Handeln unlösbar miteinander verbunden. Das hat seinen Grund darin, daß *die Wirklich-*

keit zuerst und zuletzt nicht ein Neutrum, sondern *der Wirkliche*, nämlich der Mensch gewordene Gott ist. Alles Faktische erfährt von *dem* Wirklichen, dessen Name Jesus Christus heißt, seine letzte Begründung und seine letzte Aufhebung, seine Rechtfertigung und seinen letzten Widerspruch, sein letztes Ja und sein letztes Nein« (E 242 f).

Wenn ich also unter diesem Thema »Glaube als Widerstandskraft«zu Bonhoeffer Stellung nehme, so geschieht dies unter der Voraussetzung, daß Widerspruch nur im Rahmen und aufgrund einer Anerkennung des Faktischen geschehen kann und daß dieses so ist, weil alles Wirkliche, Faktische von *»dem Wirklichen«*, nämlich von Jesus Christus, begründet und relativiert ist, seine Rechtfertigung und seinen Widerspruch erfährt. Letztes Ja und (vor)letztes Nein (vgl. E 243) zur Wirklichkeit erfolgen aufgrund der letzten Annahme der weltlichen Wirklichkeit in Jesus Christus, der ja seine menschliche Wirklichkeit durch Tod und Auferwekkung eben nicht verlassen hat, sondern endgültig angenommen hat. So formuliert Bonhoeffer ausdrücklich: »Die Bejahung des Menschen und seiner Wirklichkeit geschah auf Grund der Annahme (sc. des Menschen durch die Menschwerdung Gottes), nicht umgekehrt« (E 243).

Dieser ergänzende und grundlegende Aspekt hat für Bonhoeffer auch persönlich deswegen besondere Bedeutung, weil die Beteiligung am Widerstand nicht zu seinen ureigensten Aufgaben gehörte. Er war und blieb Pfarrer, und noch in seinen Gefängnisbriefen fragt er sich, ob die Teilnahme am Widerstand »die Sache Christi« sei (18.11.43, WEN 147). Sie war jedenfalls ein Grenzfall. Doch stellt sich Bonhoeffer für diese Aufgabe nicht in einer Schizophrenie zur Verfügung, sondern als Christ und als Pfarrer. Er war der Meinung, daß in einer äußersten Notsituation sogar die Kirche aus einem politischen Mandat heraus handelt, wobei es nicht ein genuin kirchliches Mandat ist, sondern ein Ersatzmandat, das der Kirche und so auch ihm als Pfarrer galt, wenn der Staat sein ihm eigenes Mandat nicht nur nicht wahrnahm, sondern fundamental dagegen verstieß (1933, GS II bes. 48 ff).

Hier zeigt sich, daß die Wahrnehmung eines solchen säkularen bzw. politischen Auftrags für Bonhoeffer noch einmal nicht Widerstand, sondern Zustimmung implizierte und voraussetzte, nämlich Zustimmung zur Welt.

Im folgenden möchte ich nicht oder nur sehr eingeschränkt auf historische Zusammenhänge eingehen. Dafür verweise ich auf die herausragende Biographie von Eberhard Bethge. Es geht vielmehr um eine Sachfrage, nämlich um »Gewissen und Entscheidung« bei einem Theologen, Christen und Zeitgenossen, wobei diese drei Termini eine jeweilige Intensitätssteigerung bedeuten. Bonhoeffer hat nämlich nicht nur als Theologe zunächst, später als Christ und dann, ohne aufzuhören, Theologe und Christ zu sein, als Zeitgenosse exemplarisch eine Gewissensentscheidung treffen müssen, wie sie nur wenigen von uns zugemutet wird, sondern auch hierüber nach Möglichkeit Rechenschaft zu geben versucht. Wir sind aufgrund der zur Publikation vorgesehenen wie auch sehr persönlicher Aussagen in der Lage, sein Denken und Handeln so gut wie bei wenigen sonst verfolgen zu können. Von ihm zu sprechen, ist exemplarisch, dies jedoch nicht in dem Sinne, daß die Entscheidung Bonhoeffers einfach übertragbar wäre, genauer gesagt, nicht in dem Sinn, daß Bonhoeffers Aussagen einfach auf uns und unsere Situation beziehbar wären. Für Bonhoeffer gehören jeweilige Situationen und Reflexion zusammen, und Reflexionen aus einer bestimmten Situation können exemplarisch nur, aber auch gerade so sein, daß sie die ursprüngliche Situation erhellen; die hieraus gewonnene, letztlich singuläre Erfahrung kann als Hilfe dafür dienen, eine jeweils andere Situation zu reflektieren und in ihr zu handeln.

Es liegt auf der Hand, daß es heute aktuell und dringlich ist, vom »Gewissen« zu sprechen, und zwar deswegen, weil die Berufung auf das Gewissen häufiger und intensiver geschieht als in anderer Zeit. Vom Gewissen zu reden, die Frage der Gewissensprüfung zu diskutieren, ist deswegen so nötig und schwierig, weil eine grundsätzliche Gewissensfreiheit anerkannt wird. In Situationen, wo die Gewissensentscheidung tödlich werden kann, ist die Gewissensprüfung nicht Thema einer Auseinandersetzung oder einer Institution, sondern des Betreffenden, der in der Berufung auf sein Gewissen eine endgültige Position ergreift. In diesem Sinne ist im Grundgesetz davon die Rede, daß der Abgeordnete niemandem und nichts als seinem Gewissen verpflichtet ist.

In Zusammenhang mit dem Widerstand gegen Hitler wird vom Gewissen gleichfalls gesprochen, und zwar in der verbreiteten Formulierung vom »Aufstand des Gewissens«[1a]. Mir ist nicht bekannt, von wem diese Formel geprägt worden ist; ihre Verbreitung geht vermutlich auf die Buchtitel »Das Gewissen steht auf« (1954) und »Das Gewissen entscheidet« (1957) zurück.[2] Ich halte es durchaus für richtig, im Zusammenhang mit dem Widerstand gegen Hitler vom »Aufstand des Gewissens« zu sprechen, doch geht uns diese Formel zu leicht und zu unbedacht von den Lippen. Bezieht man nämlich den Gang der Ereignisse mit ein, handelte es sich eher um einen »Aufstand unter Gewissenszweifeln«, um nicht zu sagen unter »Gewissensskrupeln», um einen Aufstand jedenfalls eines vielfach »geschundenen Gewissens«, um einen Aufstand, in dem sogar das »gute Gewissen« nicht unangetastet blieb. Es ist zweifellos eine Frage des Gewissens, ob man angesichts der ins Unermeßliche gestiegenen Verbrechen Hitlers untätig bleiben konnte und durfte; es ist aber eine schwere Anfechtung des Gewissens gerade für wichtige Persönlichkeiten des deutschen Widerstands gewesen, daß man diesen Verbrechen nur Einhalt tun konnte durch einen Mord, der für viele zugleich einen Eidbruch demjenigen gegenüber einschloß, auf den sie den Eid geleistet hatten. Wer die Qualität eines meist preußisch-protestantischen Ethos nicht verkennt, sondern ausdrücklich zu respektieren bestrebt ist, wird sofort erfassen, welche Gewissensbelastung den Teilnehmern am Widerstand aufgegeben war. Dietrich Bonhoeffer hat sie, hierfür durch seine theologische Ausbildung besonders qualifiziert, reflektiert und sich mit anderen Mitgliedern des Widerstandes ausgetauscht. Deswegen, nicht, weil er eine herausragende Bedeutung im Widerstandsgeschehen selbst gehabt hätte, eignet er sich besonders, uns bei ihm Rat zu suchen. Freilich war er in den Gewissenskonflikt hineingezogen, verstand er sein Tun doch nicht einfach als pastorale Betreuung der Widerstandskämpfer, sondern als Teilnahme an diesem säkularen Tun, mit dem er sich so identifizierte, daß er sich in der Gewissensfrage nicht einfach salvieren konnte.

Die Konkretion Gottes und seines Gebotes

Was für Bonhoeffer Konkretion bedeutet, hat Eberhard Bethge mit der Formulierung der Wende vom Theologen zum Christen um 1932 angedeutet. Bonhoeffer hatte gelitten unter der Ungreifbarkeit Gottes, bis ihm – durch die Bergpredigt – die Konkretion Gottes und seines Gebotes deutlich wurde (GS VI 385 f). Zeichen seines Suchens um die Konkretion Gottes und die Konkretion dessen, was in der Welt zu tun ist, zeigt das Wort 2 Chron 20,12, das Bonhoeffer in der Zeit von 1932 wichtig gewesen ist: »Wir wissen nicht, war wir tun sollen, aber unsere Augen sehen nach dir«.[3]

Die Predigt über dieses Schriftwort dürfte ein Leitmotiv für Bonhoeffers Leben insgesamt gewesen sein: Immer wieder ging es um die Frage, was wir tun sollen, und – im Blick auf Jesus Christus, in der Nachfolge – darum, die Entscheidung zu prüfen, nicht im sicheren Wissen, nicht im gerechtfertigten Gewissen, sondern im Vertrauen auf Gott und im Ausliefern unseres Tuns an ihn.

Konkretion bedeutet, sich auf Gott in Jesus Christus zu verlassen. Konkretion des Gebotes bedeutet, nicht einfach unter Berufung auf ein göttliches Gebot zu wissen, wie die Entscheidung zu fallen hat. Gerade die Bergpredigt hat eine wesentliche Rolle gespielt, Bonhoeffer zu einer Erfahrung der Konkretion Gottes zu führen. Er muß um 1932 eine solche Erfahrung gemacht haben, die ihm die Konkretion Gottes Wirklichkeit werden ließ und die ihn zugleich eine konkrete Ethik suchen ließ (DB 246 ff). So darf auch die Bergpredigt nicht einfach schon die ethische Entscheidung erübrigen; die ethische Entscheidung ist nicht einfach die Anwendung eines Wortes der Bergpredigt als Maßstab auf die konkrete Situation, sondern gerade sie will konkret verstanden werden. Dies ist damit gemeint, daß ein Wort der Schrift, und sei es aus der Bergpredigt, nicht als »Prinzip« gewertet werden kann (vgl. E-GS III

471 ff), wie Gott auch niemals ein Prinzip ist. Hätte Bonhoeffer die Bergpredigt in diesem Sinne verstanden, so hätte er gemäß der Seligpreisung an die Friedfertigen sich nicht am Widerstand beteiligen können, sondern – wie etwa Paul Schneider (1897–1939) – der Verkündigung des ›reinen‹ Wortes Gottes dienen müssen, die Schneider ins Konzentrationslager und in den Tod geführt hatte. Die zentralen Aussagen einmal von 1932[4] und sodann die von 1940–43 in der Ethik belegen, daß Bonhoeffer im Grenzfall eine solche Beschränkung auf die Verkündigung des Wortes Gottes nicht möglich war. Dies festzustellen bedeutet keine Kritik an Paul Schneider, der schon 1937 ins KZ kam, zu einer Zeit, in der ja Bonhoeffer auch noch ›rein‹ innenkirchlich arbeitete. Wäre Bonhoeffer im Zusammenhang mit dieser seiner Arbeit im Dienste der Bekennenden Kirche ins KZ und zu Tode gebracht worden, hätte diese auch für ihn als Pfarrer beten können; so nahm ihn noch nicht einmal die Bekennende Kirche in die Fürbittenliste auf (DB 893). Bonhoeffers Verständnis der Konkretion Gottes und der Nachfolge lassen ihn jedoch deutlich die Verpflichtung eines Engagements auch für die Welt sehen, und zwar eines weltlichen Engagements, da für ihn gilt, was er zunächst für die Kirche formuliert hat: »Das Revier der einen Kirche Christi ist die ganze Welt« (1932, GS I 143). Und noch ausdrücklicher: »Nicht ein heiliger, sakraler Bezirk der Welt gehört Christus, sondern die ganze Welt« (ebd. 144).

Im Hören auf das Wort Gottes hat die Kirche die Vollmacht, in die Welt hinein das Wort Gottes auszurichten. Dieses Wort »aus der tiefsten Kenntnis der Welt«, die also unerläßlich ist, wird die Welt auch betreffen: »Die Kirche darf also keine Prinzipien verkündigen, die immer wahr sind, sondern nur Gebote, die heute wahr sind. Denn, was ›immer‹ wahr ist, ist gerade ›heute‹ nicht wahr. Gott ist uns ›immer‹ gerade *›heute‹* Gott« (ebd. 145).

Aus diesem Ansatz und Anliegen heraus wendet sich Bonhoeffer zur gleichen Zeit – 1932 – gegen das »Hinterweltlertum« ebenso wie gegen den »Säkularismus« (GS III 270–285): Unter dem Titel »Dein Reich komme« hat Bonhoeffer hierzu ausgeführt, daß nicht nur derjenige, der den christlichen Glauben auf Gott als einen Jenseitigen richtet und im Diesseits weltlich ungestört lebt wie alle anderen auch, d. h. daß nicht nur der Säkularist, sondern auch derjenige, der Gott und seine Botschaft achtet, die Welt aber dabei verachtet und flieht, d. h. daß auch der Hinterweltler zugleich Gott und Welt verfehlt. »Hinterweltlertum und Säkularismus« sind »nur die beiden Seiten derselben Sache – *nämlich,daß Gottes Reich nicht geglaubt wird.* Weder der glaubt es, der zu ihm aus der Welt flieht, der es dort sucht, wo seine Plage nicht ist, noch der glaubt es, der es als ein Recht der Welt selbst aufrichten zu sollen meint. Wer der Erde entweicht, findet nicht Gott, er findet nur eine andere Welt, seine eigene, bessere, schönere, friedlichere Welt, eine Hinterwelt, aber nie Gottes Welt, die in dieser Welt anbricht« (ebd. 273).

Gegen dieses doppelte, aber auf dasselbe hinauslaufende Auseinanderreißen von Gott und Welt hat Bonhoeffer schon damals gesagt, daß an das Reich Gottes nur glaubt, »wer die Erde und Gott in einem liebt« (ebd. 270).

In seinen ethischen Konzepten nach 1940, bereits voll im Widerstand engagiert, hat Bonhoeffer diesen Aspekt wieder aufgenommen und eindringlich dargelegt. Der wesentliche Unterschied zu den Aussagen von 1932 liegt darin, daß er seinerzeit noch erhofft und als unerläßlich angesehen hatte, daß die Kirche selbst ein vollmächtiges Wort – durch ein allgemeines Konzil – sagt, daß er aber nach 1938 ohne kirchliche Zustimmung sich am Widerstand beteiligte, der doch ein Attentat intendierte. Um die Kirche zu entlasten, hat Bonhoeffer sogar überlegt, ob er nicht aus ihr austreten sollte (DB 843).

Grundlage dafür, daß er als Pfarrer sich an einem weltlichen Tun, nämlich am Widerstand beteiligte, war für ihn, daß der Christ und im Grenzfall auch der Pfarrer sich nicht aus weltlichem Handeln heraushalten darf, denn es ging darum, *»an der Wirklichkeit Gottes und der Welt in Jesus Christus heute teilzuhaben«* (E 208). Das Auseinanderfallen von Gott und Welt in zwei Räume zu vermeiden, ist nur in Jesus Christus möglich. Was Bonhoeffer 1932 Säkularismus und Hinterweltlertum genannt hat, nannte er zur Zeit der Ethik das kulturprotestantische und mönchische Mißverständnis der Welt (E 271), schärfer gesagt, Säkularismus und Schwärmerei (E-GS III 471). Zwischen diesen beiden Extremen galt es, jene Mitte zu finden, in der Gott in der Welt gesucht wurde ohne Radikalismus und ohne Kompromiß. Dieses jeweils falsche Verhältnis sowohl zu Gott wie zur Welt kann nur in Jesus Christus überwunden werden, denn: *»In Jesus Christus ist die Wirklichkeit Gottes in die Wirklichkeit dieser Welt eingegangen«* (E 207).

Die Ambivalenz des Gewissens

Wenn ich mich nun der Erörterung des Gewissens bei Bonhoeffer zuwende, so fragt sich, ob und ggf. in welchem Maße diese christologisch vermittelte Konkretion auch hier wirksam geworden ist. Eine solche Begründung des Gewissens in Jesus Christus würde sich unterscheiden von der philosophisch und auch katholisch-theologisch gängigen Begründung des Gewissens in der Natur des Menschen als jener grundlegenden Instanz, die das Tun des Menschen beurteilt und die der Mensch zu Rate ziehen soll vor seinen Entscheidungen, um diese auf gut und böse zu prüfen.

Bereits in seiner Dissertation »Sanctorum communio« führt Bonhoeffer das Gewissen nicht auf die Natur des Menschen zurück, sondern auf die Ursünde Adams. Durch die Sünde wird die ursprüngliche Einheit des Menschen mit Gott und die Einheit der Menschen untereinander zerrissen, sie werden untereinander getrennt; und nun erst hat jeder Mensch sein eigenes Gewissen: »Gewissen gibt es im Urstand nicht, erst mit dem Fall weiß Adam, was gut und böse ist. Das Gewissen kann sowohl letzte Stütze der Selbstrechtfertigung des Menschen wie auch der Ort sein, an dem Christus durch das Gesetz des Menschen anficht« (SC 73).

Die Zerrissenheit mit Gott und Mensch, die in der Sünde geschieht, hat im Menschen eine neuerliche Zerrissenheit zur Folge, nämlich die Erkenntnis von gut und böse, die es nach der Aussage der Genesis im Urstand nicht gab. Diese doppelte Zerrissenheit, aus der das Gewissen entstand und als deren Ort es fungiert, ist in sich noch einmal ambivalent. Denn das Gewissen kann Ort der Selbstrechtfertigung sein, d. h. daß sich der Mensch in seinem Gewissen vor Gott rechtfertigen will und somit die Situation seiner Schuld noch einmal verschärft, es kann aber auch der Ort sein, an dem der Mensch durch das Gesetz Christi angefochten wird, an dem der Mensch also in seinem Sicherungsbemühen Gott gegenüber wankend wird, daß er seine Sünde entdeckt.

Das Gewissen ist somit nicht die letzte einheitliche Instanz, in der der Mensch gerade der Wahrheit bewußt und gewiß wird, wie er handeln, was er unterlassen und was er tun soll. Es ist vielmehr in dem Sinne ambivalent, daß er in ihm seine Unheilssituation noch einmal verfestigt oder aber das Eindringen des Gebotes Gottes wahrnimmt. Als eine fundamental positive Instanz wird das Gewissen in diesem Zusammenhang nicht verdeutlicht. Wenn wir jedoch von einem »schlechten Gewissen« reden, meinen wir nicht, daß das Gewissen als solches schlecht sei, sondern daß das Gewissen als ein gutes das schlechte Tun beurteilt. Als solche gute Instanz wird das Gewissen selbst dann noch angesehen, wenn es ein schuldlos irrendes Gewissen ist. Das Gewissen bei Bonhoeffer ist demgegenüber nicht die letztlich intakt gebliebene Instanz des Menschen, die weiß und Auskunft gibt, was Gott und was dem Mitmenschen gegenüber zu tun ist, sondern entstammt der Zerrissenheit des Menschen durch die Sünde und der Zerrissenheit des Wissens um Gut und Böse. Es ist daher in sich selbst nicht eindeutig geblieben, sondern durch die Sünde entstanden und daher entweder erst recht Ort der Selbstrechtfertigung des Menschen oder aber allenfalls der Ort des Wissens darum, daß diese Selbstrechtfertigung des Menschen trügerisch ist.

In seiner Habilitation »Akt und Sein« von 1931 sowie in seiner Vorlesung »Schöpfung und Fall« von 1932/33 führt Bonhoeffer diesen Ansatz des Gewissens weiter aus. Das Gewissen bleibt für den Menschen »sein letzter Griff nach sich selbst« (AS 119), das »Sich-bewußt-Werden der Verzweiflung« (125), es hat die Funktion, »den Menschen in die Flucht vor Gott zu jagen« (SF 95/103); unter diesem Aspekt ist das Gewissen »nicht die Stimme Gottes im sündigen Menschen, sondern gerade die Abwehr gegen diese Stimme«, doch fügt Bonhoeffer hinzu, eine Stimme, »die aber eben als Abwehr doch wiederum wider Wissen und Wollen auf die Stimme hinweist« (SF 96/104). »Adam hat sich nicht gestellt, hat nicht bekannt, er hat sich auf sein Gewissen, auf sein Wissen um Gut und Böse berufen und von diesem Wissen aus seinen Schöpfer angeklagt« (SF 97/105).

Als »Unmittelbarkeitsbeziehung zu Gott« lehnt Bonhoeffer das Gewissen ab, da es dann die »Selbstbindung Gottes an das mittlerische Wort umgehen und so Christus und die Kirche ausschalten« würde (AS 120). Das Gewissen spielt, wenn es überhaupt für den Menschen in Christus von Belang ist, als Bestimmtheit durch die Vergangenheit eine Rolle (AS 133 ff.), insofern der Mensch in einer »Reflexion auf sich selbst« im Guten seine Sünde ansieht (134). Im Blick auf Christus aber und d. h. im direkten Akt ist alle Selbstreflexion überwunden (135). Damit ist das Gewissen überwunden. Bei Bonhoeffer kann es ausdrücklich heißen, daß Christus »selbst hinzutritt, das Gewissen des Menschen tötet, sich neu zum Menschen bekennt, ihm den Glauben wiedergibt« (134). Es wird also in Christus auch die »Reflexion des ›christlichen‹ Gewissens« überwunden (136). Nur paradox kann Bonhoeffer sagen, daß das »gequälte Wissen um die Zerrissenheit des Ich ... im Blick auf Christus das ›fröhliche Gewissen‹ « findet (139).

Noch in der »Ethik« nach 1940 kehrt der Tenor dieser Aussagen über das Gewissen wieder. Auch hier ist es »Zeichen der Entzweiung des Menschen mit sich selbst«, die »die Entzweiung mit Gott und Mensch« schon voraussetzt (E 26). Es hat es »nicht mit dem Verhältnis des Menschen zu Gott und zu den anderen Menschen, sondern mit dem Verhältnis des Menschen zu sich selbst zu tun« (27). Infolgedessen geht es dem Menschen im Gewissen um sich selbst. Das Gewissen und Jesus Christus stehen sich somit alternativ gegenüber; geht es dem Gewissen um Prüfung dessen, was gut und böse ist, so wird diese Alternative in Jesus Christus überwunden. Bonhoeffer kann daher vom Menschen sagen, »daß Jesus Christus in ihm nun genau den Raum einnimmt, den bisher das eigene Wissen um Gut und Böse eingenommen hat« (45).

Diese Aussagen Bonhoeffers mögen befremden. Reinhard Mokrosch und vor allem Peter Möser[5] haben Aussagen Luthers als Hintergrund aufgewiesen und von hierher Bonhoeffers Sprachgebrauch zu interpretieren versucht. Tatsächlich findet sich in »Akt und Sein« das Lutherzitat, daß die Sünde außer deinem Gewissen anzusehen ist, weil sie nicht mehr im Sünder ist, sondern überwunden und verschlungen in Christo (AS 134). In dieser Klärung eines Zusammenhangs weniger mit den Aussagen Luthers über das Gewissen als mit seiner Theologie insgesamt[6] scheint mir eine wichtige Verständnishilfe für Bonhoeffers Konzeption vom Gewissen zu liegen.[7] Wenn ich nämlich diese Anschauung nicht einfach teilen möchte, so ist es doch gut, auf deren positive Seite hinzuweisen, daß Bonhoeffer wohl etwas Richtiges sieht und dieses zu Recht kritisiert: Es gibt eine vorrangige Orientierung, vielleicht sogar eine Fixierung des Menschen auf sein Gewissen, nämlich die herausragende Sorge, nur ja nichts gegen das Gewissen zu tun. Für Bonhoeffer ist es jedoch eine Existenzfrage, daß es gerade im Blick auf Christus unerläßlich sein kann, etwas zu tun, was vor dem Gewissen nicht aufgeht, etwa, sich um des Gemeinwohls willen am Attentat gegen Hitler zu beteiligen. In dieser Situation kann es schlimmer sein, sein Gewissen rein erhalten zu wollen und deswegen auf ein solches Tun zu verzichten. Bonhoeffer selbst ist ja in einer Situation, in der ein gutes Gewissen nicht herstellbar ist. In diesem Sinne dürfte die Aussage der »Ethik« zu verstehen sein: »daß ein böses Gewissen heilsamer und stärker sein kann als ein betrogenes Gewissen, das vermag der Mann, dessen einziger Halt sein Gewissen ist, nie zu fassen« (70).

So wendet sich Bonhoeffer gegen die falsche Ängstlichkeit von Christen, »die jedem Leiden um einer gerechten, guten, wahren Sache willen ausweichen, weil sie angeblich nur bei einem Leiden um des ausdrücklichen Christusbekenntnisses willen ein gutes Gewissen haben können« (E 64).

Jedenfalls ist es nach Bonhoeffer besser, in diesem Sinne zu handeln, statt als »Mann des *Gewissens*« (E 70; WEN 13) für die Reinheit des eigenen Gewissens zu sorgen, dabei sich auf seinen privaten Bereich zu beschränken und schließlich »statt eines guten ein salviertes Gewissen zu haben«, d. h. sein eigenes Gewissen zu belügen, um nicht zu verzweifeln (ebd.).

Die wesentlichen Aussagen, die sich im ersten Ethik-Abschnitt finden lassen, bleiben in späteren Abschnitten bestehen. Aber sie erscheinen nun einbezogen in die christologische Fundierung. Unter der Überschrift »Die Struktur des verantwortlichen Lebens« hat Bonhoeffer dem Gewissen einen eigenen Abschnitt gewidmet. In ihm bleibt das Gewissen der »Ruf der menschlichen Existenz zur Einheit mit sich selbst« (E 257), doch wird nur der Ruf des Gewissens im natürlichen Menschen als »Selbstrechtfertigung« verstanden (258). Wo jedoch Christus »zum Einheitspunkt meiner Existenz« geworden ist, ist das Gewissen nicht mehr »das natürliche Gewissen«, die »gottloseste Selbstrechtfertigung«, sondern »das in Jesus Christus befreite Gewissen, das zur Einheit mit mir selbst in Jesus Christus ruft« (259). Durch Christus als Befreier wird das Gewissen somit zum »befreiten Gewissen» (259 f). Bleibt es wie das natürliche Gewissen »der Warner vor der Übertretung des Lebensgesetzes», ist doch dieses Gesetz nicht mehr das »Letzte«, sondern Jesus Christus (263). Erst durch ihn, »der der Herr des Gewissens ist«, wird der Mensch frei zu verantwortlicher Tat. Dies gilt gerade auch im Sinn der Schuldübernahme; den verantwortlich Handelnden spricht vor sich selbst sein Gewissen frei, »aber vor Gott hofft er allein auf Gnade« (263).

Das Gewissen bleibt damit auf das Vorletzte beschränkt, doch wird es nicht mehr durch Jesus Christus getötet, sondern bleibt in der Gemeinschaft mit ihm qualifiziert. Bonhoeffer kann es somit unter Verweis auf Luther als das »freie und freudige Gewissen« benennen, »das aus der Gemeinschaft mit Jesus Christus kommt« (273).

In all diesen Ausführungen über das Gewissen wird jenes Wort eindrucksvoll bestätigt: »Wir wissen nicht, was wir tun sollen, aber unsere Augen sehen nach Dir«. Auch das Gewissen ist also keine Instanz, die dem Menschen über sein Tun Gewißheit zu geben vermag. Vielmehr ist der verantwortlich Handelnde gezwungen, allein im Blick auf Christus seine Entscheidung zu treffen. Wir befinden uns also vor allem mit den letzten Überlegungen aus der Ethik ständig schon in den Überlegungen zur Entscheidung. Bonhoeffer hat seine Entscheidung getroffen, und als er für sie in eine höchst gefährliche Gefangenschaft gerät, kann er von einem »getrosten Gewissen« sprechen (Weihn. 43, WEN 159), er kann gegenüber den Verhörenden auf sein »sehr gutes Gewissen« (80) hinweisen, er kann vor allem seinem

Freund Eberhard Bethge schreiben: »Du mußt übrigens wissen, daß ich noch keinen Augenblick meine Rückkehr 1939 bereut habe noch auch irgendetwas von dem, was dann folgte. Das geschah in voller Klarheit und mit bestem Gewissen« (22. 12. 43, WEN 195). Und doch kann er bei seinen späteren Überlegungen über das religionslose Christentum sagen: »Die Zeit, in der man das (sc. wer Christus für uns heute eigentlich ist) den Menschen durch Worte – seien es theologische oder fromme Worte – sagen könnte, ist vorüber; ebenso die Zeit der Innerlichkeit und des Gewissens, und d. h. eben die Zeit der Religion überhaupt« (30. 4. 44, WEN 305).

Entscheidung als Wagnis verantwortlichen Handelns

Wie das Thema Gewissen, so begleitet auch das Thema »Entscheidung« Bonhoeffer durch sein Leben hindurch. Es beschäftigte ihn – über alle theoretische Reflexion hinaus – vor allem in praxi. Schon in seinem frühen Tagebuch aus Barcelona 1928 hatte er sich notiert, daß er gar nicht sagen könne, wann er sich dafür entschieden habe, dorthin zu gehen, auch ist ihm selbst problematisch, wie eine derartige Entscheidung vor sich geht; seine Entscheidungen empfindet er gar nicht recht als eigene Entscheidungen, es ergibt sich vielmehr eine Klarheit, ein »der Klarheit einer Entscheidung entgegenwachsen«; und es bleibt ihm ungewiß, ob die Entscheidung sich nachträglich ausreichend begründen läßt (GS VI 99 f).[8]

Einige Jahre später kamen auf Bonhoeffer gravierendere Entscheidungen zu. Nach der Machtergreifung mühte er sich um die Entscheidung der Kirche für den Weg, den sie und den die Christen und damit auch er im

Dritten Reich zu gehen hätten. Als er die Kirche diese Entscheidung verfehlen sieht, zieht er sich für einige Zeit nach England in ein Pfarramt einer deutschen Gemeinde in London zurück. Von hierher schreibt er an seinen Freund Erwin Sutz, daß die jetzige Opposition der Bekennenden Kirche lediglich ein Durchgangsstadium sei, das zu einer noch ganz anderen Opposition führen werde, und fügt hinzu: »Ich glaube . . ., daß die ganze Sache an der Bergpredigt zur Entscheidung kommt« (1934 GS I 40). An der Bergpredigt kommt es zu jener konkreten Entscheidung in einer bestimmten Situation, die überhaupt nur eine verbindliche Befolgung des Wortes Gottes bedeutet. Darum ging es Bonhoeffer.

Aufs äußerste war die Frage der Entscheidung angeschärft, als Bonhoeffer noch einmal einige Jahre später, 1939, auf den Rat seiner Freunde nach Amerika gefahren war, um dort für ein Jahr zu bleiben. Den Freunden war daran so sehr gelegen, weil für Bonhoeffer der Gestellungsbefehl zur Wehrmacht zu erwarten war, den er zu verweigern gedachte, weil er Hitlers Aufrüstung für ein Unrecht hielt. Die Verweigerung hätte natürlich äußerste Konsequenzen gehabt. In Amerika, in Sicherheit, überfielen Bonhoeffer sofort die Zweifel über seinen weiteren Weg. Denn er war freiwillig aus Deutschland gegangen; infolgedessen sah er sich, wenn er in Amerika bliebe, nach dem sicher bevorstehenden Krieg und dem bereits damals erwarteten negativen Ausgang dieses Krieges nicht berechtigt, am Wiederaufbau teilzunehmen (so im Brief an Reinhold Niebuhr, GS I 320). In Amerika fühlte er »die ganze Wucht der Selbstvorwürfe wegen einer Fehlentscheidung« (298).

Nachdem sich dann abzeichnet, daß der Krieg unmittelbar bevorsteht, entschließt sich Bonhoeffer im

Juni 1939 zur Rückkehr. Nach der Entscheidung stellt er an sich fest: »Es ist merkwürdig, ich bin mir bei allen meinen Entscheidungen über die Motive nie völlig klar. Ist das ein Zeichen von Unklarheit, innerer Unehrlichkeit oder ist es ein Zeichen dessen, daß wir über unser Erkennen hinausgeführt werden, oder ist es beides?« Und er fährt fort: »Die Gründe, die man für eine Handlung vor anderen und vor sich selbst ausgibt, sind gewiß nicht ausreichend. Man kann eben alles begründen. Zuletzt handelt man eben doch aus einer Ebene heraus, die uns verborgen bleibt. Darum kann man nur bitten, daß Gott uns richten und uns vergeben wolle.« Und er unterstreicht diese Aussage noch einmal: »Am Ende des Tages kann ich nur bitten, daß Gott ein gnadenvolles Gericht üben möge über diesen Tag und alle Entscheidungen. Es ist nun in seiner Hand« (303 f).

Nachdem dieser Weg, den die Rückkehr nach Deutschland gebracht hatte, im Gefängnis endete, schreibt Bonhoeffer an seinen Freund Eberhard Bethge: »Ich habe auch noch nie meine Entscheidung im Sommer 1939 bereut« (11. 4. 44, WEN 297).

Daß inzwischen noch einmal eine bereits 1938 vorbereitete Entscheidung endgültig ratifiziert werden mußte, nämlich diejenige, sich aktiv am Widerstand gegen Hitler und d. h. am Mord an ihm zu beteiligen, ist natürlich nirgends ausdrücklich reflektiert. Doch steht diese konkrete Entscheidung im Hintergrund jener theologischen Reflexionen, denen wir uns nun zuwenden müssen.

Das Thema »Entscheidung« hatte Bonhoeffer freilich auch theologisch schon von Anfang an begleitet. Seine Überlegungen dürften verbunden sein mit jenen Diskussionen zur Entscheidung, die nach dem ersten Weltkrieg verstärkt einsetzten. Die Verbindungslinien zu diesen Positionen und Diskussionen sind noch nicht aufgewiesen, aber mit Sicherheit anzunehmen. So darf vermutet werden, daß Bonhoeffer das Buch Friedrich Gogartens »Die religiöse Entscheidung« (1921) gekannt hat. Auch mit Martin Heidegger hatte Bonhoeffer sich befaßt; überdies partizipiert er an der Kierkegaard-Rezeption, durch die gerade das Thema »Entscheidung« wesentlich ins Gespräch gekommen sein dürfte. Mit diesem Thema hat sich die sog. Existenzphilosophie beschäftigt, aber auch jene als Dezisionismus bezeichnete Richtung, die im Hinblick auf das Dritte Reich sich für eine Entscheidung einsetzte, die nicht auf eigene Reflexion, sondern auf dem überlegenen Wissen des Führers beruhte.[9]

Schon in seiner Dissertation »Sanctorum communio« spricht Bonhoeffer davon, daß nur der »in der Entscheidung Stehende« zum Du des anderen zu gelangen vermag, ohne daß man dies einem anderen demonstrieren könnte (SC 30). Bereits hier besteht jene Relation von Wirklichkeit und Reflexion, nach der keine Überlegung die Wirklichkeit adäquat einholen kann.[10] So hatte Bonhoeffer immer wieder darauf hingewiesen, daß eine Entscheidung nicht letztlich durch Gründe belegt werden kann.

Mit dieser Einschätzung hängt zusammen, daß nach Bonhoeffer Prinzipien eine Entscheidung letztlich nicht zu bestimmen vermögen. Im frühen Ethik-Vortrag in Barcelona heißt es, daß wir keine »allgemein gültigen Entscheidungen« treffen können, weil damit bereits wieder prinzipiell gültige Entscheidungen und damit neue Prinzipien aufgestellt würden, wir könnten vielmehr nur in die »konkrete Situation der Entscheidung« hineinzuführen versuchen, denn »die in der Wirklichkeit geforderte Entscheidung muß eben jeder in Freiheit in der konkreten Situation selbst vollziehen« (1928, GS V 168).[11]

Bonhoeffer bleibt jedoch bei dieser Auskunft nicht stehen. Wenig später konstatiert er, daß die Entscheidung »in Begegnung mit Christus getroffen wird« (1930/31, GS III 105).[12] In der Habilitation hatte es geheißen, daß erst durch Christus die »Wirklichkeit ungedeutet reine Entscheidung« ist (AS 106).[13] Hier ist bereits die Verbindung mit Christus wirksam, die später als eine die Einsamkeit des Menschen in der Sünde aufhebende Vermittlung zu Gott und zum Mitmenschen interpretiert wird.

Einen neuen Akzent gewinnt das Thema »Entscheidung« im Jahr vor und in den ersten Jahren nach der Machtergreifung. Es geht nun darum, die Kirche zur rechten Einstellung gegenüber dem NS-Regime zu bringen, und, als dies mißlungen war, die Bekennende Kirche zu begründen. In bemerkenswerter Eindeutigkeit formuliert und postuliert Bonhoeffer eine Entscheidung der Kirche. Bonhoeffer leidet daran, daß »unsere Kirche heute das konkrete Gebot nicht sagen kann« (1932, GS I 63). Sie hat keine Autorität. Dabei kann die Kirche nicht erst Autorität haben und dann sprechen; ihre Autorität ruht im Gegensatz zum Staat allein in »konkreten Entscheidungen« (ebd.). In seinem Vortrag »Zur theologischen Begründung der Weltbundarbeit« unterstreicht Bonhoeffer dieses »Wagen und Entscheiden der Kirche«, das sich weder an einer ewigen Ordnung noch an den Erhaltungsordnungen orientieren kann; vielmehr beruht es auf dem »Glauben an den Gott, der in Christus auch der Kirche ihre Sünden vergibt. Aber in diesem Glauben muß gewagt und entschieden werden« (1932, GS I 151).

In dem wohl wichtigsten Vortrag dieser frühen Zeit »Die Kirche vor der Judenfrage« (April 1933) fordert Bonhoeffer für diese konkrete Entscheidung der Kirche ein Konzil, denn »Die Notwendigkeit des unmittelbar politischen Handelns der Kirche hingegen ist jeweils von einem ›evangelischen Konzil‹ zu entscheiden und kann mithin nie vorher kasuistisch konstruiert werden« (GS II 49).

Anläßlich der Verschärfung des Kirchenkampfes wiederholt Bonhoeffer nachdrücklich diesen Zusammenhang von konkreter Entscheidung und Vollmacht der Kirche. Kirche beruht auf dem rechten Bekenntnis. Die Frage an die Ökumenische Bewegung lautet, ob sie Kirche sein will und kann, ob sie Kirche ist. Dies kann nicht im theologischen Gespräch geklärt werden, das vielmehr Alibi sein kann. Die Bekennende Kirche drängt daher »auf die eindeutig kirchliche Entscheidung« (Die Bekennende Kirche und die Ökumene [1935], GS I 248). Ist die Bekennende Kirche die einzig legitime evangelische Kirche in Deutschland, weil sie auf dem rechten Bekenntnis basiert und ist die Ökumene Kirche, muß sie entscheiden, entscheiden gegen die deutsche Reichskirche, die durch Anerkennung der Rassengesetze des NS-Regimes häretisch und somit nicht mehr (wahre) Kirche ist. Auch hier hofft Bonhoeffer noch auf ein ökumenisches Konzil, das eine Entscheidung trifft und so Zeugnis gibt gegen die Feinde des Christentums und Krieg, Rassenhaß und soziale Ausbeutung ächtet (GS I 261 f, vgl. 201). Eindringlich argumentiert er: »Verzögerte oder verpaßte Entscheidungen können sündiger sein als falsche Entscheidungen, die aus dem Glauben und aus der Liebe kommen« (1934, GS IV 350 f).

Als dieser Ruf Bonhoeffers ins Leere gegangen war und eine erneute Verschärfung dadurch eingetreten war, daß auch eine Synode der Bekennenden Kirche keine klare Aussage getroffen hatte[14], publiziert Bonhoeffer 1936 einen Aufsatz »Zur Frage nach der Kirchengemeinschaft«.[15] In ihm wiederholt und intensiviert er aufs äußerste seine Forderung, daß ein »Akt der Entscheidung der Kirche«, der überdies »niemals logisch oder theologisch erzwingbar« ist (GS II 225) notwendig sei, über die Kirchengemeinschaft und die Bekenntniseinheit zu befinden. Es kann nicht von der Theologie geklärt werden, ob es sich bei Gegensätzen um schulspaltende oder kirchenspaltende Gegensätze handelt (227); infolgedessen kann »die Frage nach der Kirchengemeinschaft allein durch die kirchliche Entscheidung beantwortet werden« (229), und zwar durch eine Synode der Bekennenden Kirche, die diese Entscheidung treffen müsse, daß die deutschchristliche Kirche nicht mehr Kirche ist. Wie entschieden Bonhoeffer diese These vertrat, ist daraus ersichtlich, daß er in diesem Zusammenhang ausdrücklich und mehrfach das »Extra ecclesiam nulla salus« aufnimmt (238) und ausführt: »Wer sich wissentlich von der Bekennenden Kirche in Deutschland trennt, trennt sich vom Heil« (238).

Über Kirchenzugehörigkeit war in einer »autoritativen Entscheidung der Kirche« (222) zu befinden. Die Kirche, ihre Synode oder Leitung mußte also entscheiden, und zwar definitiv entscheiden, wer zur Kirche gehört und wer nicht, weil sie über die Grenzen des wahren Bekenntnisses entscheiden muß. Diese Entscheidung ist übrigens für denjenigen, der von ihr betroffen wird, nicht Verdammung, sondern äußerste Einladung, sich der Kirche anzuschließen, die diesen Namen allein verdient, und zwar deswegen, weil sie sich nach Gottes Gebot in einer konkreten Situation in der Wahrheit weiß.

Wie zentral für Bonhoeffer diese kirchliche Entscheidung ist, durch die Einheit oder Trennung der Kirche zustande kommt, wird durch eine spätere Aussage Bonhoeffers zur Una-Sancta-Frage deutlich; in einem Brief an Eberhard Bethge heißt es: »Es scheint mir als einigten sich Kirchen nicht primär theologisch, sondern durch glaubende Entscheidung ... Das ist ein sehr gefährlicher Satz, gewiß! Man kann alles damit machen! Aber haben wir nicht praktisch danach gehandelt in der B(ekennenden) K(irche)?« (1940, GS II 381).

Für Bonhoeffer bedeutete diese Forderung einer kirchlichen Entscheidung freilich keinen Dispens von der eigenen Entscheidung. Nicht nur für ihn selbst, sondern, was sehr viel schwerer wog, auch für die Kandidaten des illegalen Predigerseminars, die nicht der deutschkirchlichen Reichskirche, sondern der illegalen Bekennenden Kirche angehörten, wurde im November 1935 diese eigene Entscheidung unaufschiebbar. Denn die »Fünfte Verordnung zur Durchführung der Sicherung der Deutschen Evangelischen Kriche« untersagte alle kirchlichen Amtshandlungen, besonders Stellenbesetzungen, Prüfungen und Ordinationen durch kirchliche Vereinigungen oder Gruppen, womit eben die Bekennende Kirche und ihr Bruderrat gemeint waren, aber auch Bonhoeffer und selbstverständlich die, die sich solchen Prüfungen unterzogen.[16]

Die Bemühungen der Konsistorien, diese der Bekennenden Kirche angehörenden Kandidaten wieder in die sich als die einzig legitime Kirche ansehende Reichskirche zurückzuführen, dauerten während des Krieges an. Bonhoeffer schrieb diesen Kandidaten daher Entscheidungsregeln, die ähnlich wie die Exerzitien des Ignatius von Loyola Hinweise für die Entscheidungsfindung geben. Sie sind zugleich ein Zeichen dafür, daß Bonhoeffer selbstverständlich nie für eine blinde Entscheidung gewesen ist. Er rät den Kandidaten, 1. niemals aus Unsicherheit eine Entscheidung zu treffen, denn »das Bestehende hat ein Vorrecht gegenüber der Veränderung«, 2. niemals allein zu handeln, weil man den Rat der Brüder und die Brüder den eigenen Rat brauchen und weil es eine kirchliche Ordnung gibt, 3. eine Entscheidung niemals zu übereilen oder sich drängen zu lassen (1942, GS II 594). Das soziale bzw., theologisch gesprochen, das ekklesiologische Moment ist hier noch einmal deutlich hervorgehoben.

Hatte Bonhoeffer in der Habilitation von 1931 vom »Entscheidungscharakter des innerlogisch nicht mehr erzwingbaren Denkens« gesprochen (AS 18), hatte er auf der Höhe der Auseinandersetzung des Kirchenkampfes 1936 für die kirchliche Entscheidung konstatiert, daß sie »niemals logisch oder theologisch erzwingbar« ist (GS II 225), so ist dies nur die reflektierte Version jener persönlichen Erfahrung, die eigene Entscheidung nicht adäquat begründen zu können. Im Blick auf solch fundamentale Entscheidungen bestätigt Bonhoeffer diese Einsicht: »Wir haben zu stark in Gedanken gelebt und gemeint, es sei möglich, jede Tat vorher durch das Bedenken der Möglichkeiten so zu sichern, daß sie dann ganz von selbst geschieht. Etwas zu spät haben wir gelernt, daß nicht der Gedanke, sondern die Verantwortungsbereitschaft der Ursprung der Tat sei« (Mai 1944, WEN 325).

Bonhoeffer wendet sich gegen die »Immerbedenklichen« (22. 12. 43, WEN 195) und postuliert die »Notwendigkeit der freien, verantwortlichen Tat auch gegen

Beruf und Auftrag«, eine »freie Verantwortung«, die auf einem Gott beruht, »der das freie Glaubenswagnis verantwortlicher Tat fordert und der dem, der darüber zum Sünder wird, Vergebung und Trost zuspricht« (Nach zehn Jahren, WEN 15).

In den gleichzeitigen Ethikfragmenten sind diese Aussagen verschiedentlich und hinlänglich differenziert aufgenommen. In sie münden auch Bonhoeffers Erwägungen über das Gewissen. Dieses bleibt gerade auch in der Frage der Entscheidung eine Vorstufe, über die die Entscheidung hinausgehen muß. Bonhoeffer wehrt unter Verweis auf den Pharisäer noch einmal ausdrücklich die Möglichkeit einer adäquaten Prüfung der Entscheidung ab und damit das Gewissen als jene Instanz, welche die letzte Entscheidung adäquat prüfen kann. Es ist seines Erachtens unrichtig, daß, »Je feiner die Unterscheidungen, desto gewisser die richtige Entscheidung« (E 30). Zwar muß ein Prüfen vorausgehen, doch die »Freiheit zur wirklichen Entscheidung« kommt erst danach (44). Sie geht über das Wissen von Gut und Böse (228) und damit über das Gewissen hinaus (263), sie hängt auch und gerade nicht an Prinzipien, sondern an der Bindung durch die Liebe Gottes (vgl. 73). Entscheidung ist sie allein als freie (nämlich nur durch Gott gebundene und so eben freie) Entscheidung, als konkrete Entscheidung. Wenn immer Bonhoeffer diese Konkretion zum Ausdruck bringen will, spricht er von »hier und heute«, von Gott, der als konkreter Gott eben hier und heute Gott ist, von Jesus Christus, der *»unter uns heute und hier Gestalt gewinne«* (91); ebenso geht es »bei dem ›unter uns‹, ›heute‹ und ›hier‹ um den Bereich unserer Entscheidungen und Begegnungen« (92). Diese konkrete Entscheidung ist immer ein *»Wagnis«* (238), sie kann nicht abgesichert werden, nicht durch Prinzipien, nicht durch das Gewissen: »Während alles ideologische Handeln seine Rechtfertigung immer schon in seinem Prinzip bei sich selbst hat, verzichtet verantwortliches Handeln auf das Wissen um seine letzte Gerechtigkeit. Die Tat, die unter verantwortlicher Abwägung aller persönlichen und sachlichen Umstände im Blick auf die *Mensch*werdung Gottes und auf die Menschwerdung *Gottes* geschieht, wird im Augenblick ihres Vollzuges allein Gott ausgeliefert« (248 f).

Diese Aussage scheint mir schwerwiegend: das eigene Handeln letztlich rechtfertigen zu wollen, nennt Bonhoeffer »ideologisch«, der so Handelnde »sieht sich in seiner Idee gerechtfertigt«; der konkret Handelnde, d. h. »der Verantwortliche legt sein Handeln in die Hände Gottes und lebt von Gottes Gnade und Gunst« (249).

In diesem Tun kann, muß und darf der Christ im Extremfall auch zur Schuldübernahme bereit sein. Schuldübernahme meint bei Bonhoeffer zunächst Nachfolge in jener Übernahme der Schuld, die Jesus Christus geleistet hat. Aber das Tun des Christen geht über das Tun des »sündlos-schuldigen Jesus Christus« (256) hinaus, nämlich insofern, als er selbst zur Schuldübernahme im Sinne des Begehens eigener Schuld bereit ist und diese tatsächlich übernimmt (vgl. u. a. 260, vgl. 360 f, ferner WEN 15). Bonhoeffer weiß, daß diese in der Durchbrechung eines Gesetzes besteht, und dies nicht aus Zynismus, sondern aus Verantwortung, insofern »die objektive Schuld der Gesetzesdurchbrechung erkannt und getragen wird und gerade in der Durchbrechung die wahre Heiligung des Gesetzes erfolgt« (E 278). Dieses Handeln ist »ultima ratio«, welche eben »jenseits der Gesetze der ratio« liegt und insofern irrationales Handeln ist (254). Es gibt somit eine »Verweigerung des Gehorsams«, und zwar nicht aus Prinzip, sondern aus der extremen Situation heraus, aber sie ist ein »Wagnis auf die eigene Verantwortung hin«; und nicht zuletzt für diese Entscheidung gilt: »Eine geschichtliche Entscheidung geht nicht in ethische Begriffe auf. Es bleibt ein Rest: Das Wagnis des Handelns« (365).

In diesen Reflexionen spiegelt sich die Entscheidung Bonhoeffers und seiner Mitverschworenen wider. Nach den Aussagen der »Ethik« ist sie zentral getragen von der Orientierung an Jesus Christus, in dem die Welt von Gott angenommen worden ist. Wer das Gewissen in dieser Orientierung an Jesus Christus hinter sich gelassen hat, weil es nicht mehr um die Prüfung von Gut und Böse geht, vermag dies nur, weil der in Jesus Christus an Gott Glaubende sein Tun Gott überläßt: in dieser Übergabe an Gott (die keinesfalls ein Verzicht auf die eigene Freiheit, sondern vielmehr ihre Begründung ist) kann der Christ selbst das Unrecht, das mit seinem Tun in einer bestimmten Situation unlöslich verbunden sein kann, noch einmal Gott überlassen. Bonhoeffer geht bei allem davon aus: *»In Jesus Christus ist die Wirklichkeit Gottes in die Wirklichkeit dieser Welt eingegangen«* (207).

Zusammenfassung

Der Glaube ist also Widerstandskraft, wenn und insofern er zuvor Zustimmungskraft ist, weil nämlich die Welt ein Nein verdient auf der Basis und im Interesse eines Ja, jenes Ja, das Gott zu dieser Welt in der Menschwerdung gesprochen hat. Für uns scheint mir zentral der Verweis auf die jeweilige Situation. Boenhoeffer geht es nicht um eine Situationsethik, weil seiner Meinung nach nicht von der Situation her entschieden wird, was Gut und Böse ist, sondern weil im Hören auf Gottes Wort und Gebot von Gott her eine Antwort auf die Frage gesucht, erwartet und gewagt wird, was zu tun ist. Gott ist wiederum nicht abstrakt, sondern der Menschgewordene, der in die Nachfolge ruft, die Gemeinschaft stiftet. Dieses gemeinschaftliche, brüderliche und kirchliche Element ist fundamental.

Bonhoeffer geht es aber noch viel weniger um einen Dezisionismus, der dem Denken nicht zutraut, menschliches Handeln und seine grundlegende Einstellung reflektieren zu können. Ein solcher Dezisionismus wird als Grundlage jener Ideologien angesehen, die eine Entscheidung als Zustimmung zum und Einwilligung in den Willen eines autoritären Führers verlangen, dessen Wissen statt des eigenen Wissens und Gewissens genügt, wie es in dem fatalen Wort »mein Gewissen ist Adolf Hitler« zutage tritt (vgl. E 258), das auf Hermann Göring zurückgeführt wird.[17]

Bonhoeffers Worte sind ungeschützt, nämlich nicht geschützt durch Ideen, Prinzipien, Normen, sie können infolgedessen sehr leicht mißbraucht werden. Wer immer von einer Idee, einem Prinzip erfaßt oder besessen ist, wird sie auf sich beziehen und seine Situation als jene ansehen, in der Bonhoeffers Ausführungen voll zum Tragen kommen. Es sind ja Worte, die eine Gesetzesdurchbrechung zu legitimieren scheinen,wenn und insofern sie sich auf einen Notstand, auf die extreme Situation beziehen. Wo ist der Unterschied zwischen dem, der blind einer Idee gehorcht, und dem, der verantwortungsbewußt im Blick auf Christus in seiner Situation handelt? Ein wichtiges Kriterium scheint mir zu sein, inwiefern das Unrecht extrem ist (vgl. die Situation Bonhoeffers mit einer Situation im heutigen Südafrika) und inwiefern im Tun des Notwendigen das konkrete Ja realisiert wird. Das christliche Ja ist ein eschatologisches, d. h. das Ja Gottes, das jetzt schon verborgen angebrochen ist, aber kein apokalyptisches, das aufgrund menschlichen Handelns durch einen innerweltlichen Untergang hindurch eine innerweltliche Auferstehung schaffen oder wenigstens erhoffen könnte. Dies scheint mir das entscheidende Kriterium einer christlichen Entscheidung zu sein, die im Denken nicht aufgehen könnte und durch Prinzipien oder auch das Gewissen nicht letztlich gerechtfertigt werden kann. Das eben genannte Kriterium eines eschatologischen Ja scheint mir auch, daringegeben zu sein, daß nach Bonhoeffer den Christen »das Teilnehmen am Leiden Gottes im weltlichen Leben« ausmacht (18. 7. 44, WEN 395).

[1] Außer den im Beitrag »Widerstand und Ergebung«, s. a. S. 192 Anm. 1, genannten Siglen bedeuten im folgenden: SC = Sanctorum Communio, AS = Akt und Sein, SF = Schöpfung und Fall.

[1a] Vgl. der Nationalsozialismus. Dokumentation 1933–1945, hrsg. von Walter Hofer (= Fischer TB 6084), Frankfurt 1957, zit. nach der Ausgabe 1980, 317.

[2] Annedore Leber (hrsg. in Verbindung mit Karl Dietrich Bracher und Willy Brandt), Das Gewissen steht auf. Lebensbilder aus dem deutschen Widerstand, Berlin 1954; dies., Das Gewissen entscheidet. Hinzuweisen ist auch auf: Vollmacht des Gewissens, hrsg. von der Europäischen Publikation e. V. I, Frankfurt 1960.

[3] Vgl. 1932 GS I 31 an Erwitz Sutz, Predigt ebd. 133–139; 1933 GS II 133 an Karl Barth, vgl. Ernst Feil, Dietrich Bonhoeffers engagierte Theologie, in: Orientierung 30 (1966) 31–34.

[4] Vgl. bes. Dein Reich komme. Das Gebet der Gemeinde um Gottes Reich auf Erden, 1932 GS III 270–285, ferner die Belege in: Ernst Feil, Die Theologie Dietrich Bonhoeffers, München-Mainz [3]1979, 250–261, speziell über das Verhältnis von Kirche und Staat ebd. 261–266.

[5] Vgl. Reinhold Mokrosch, Das Gewissensverständnis Dietrich Bonhoeffers. Reformatorische Herkunft und politische Funktion, in: Bonhoeffer und Luther. Zur Sozialgestalt des Luthertums in der Moderne, hrsg. von Christian Gremmels (= ibf 6), München 1983, 59–92, 70–74; bes. Peter Möser, Gewissenspraxis und Gewissenstheorie bei Dietrich Bonhoeffer. Masch. Diss. Heidelberg 1983, 319 f. – Es kann hier auf sich beruhen bleiben, ob Bonhoeffer sich direkt auf Luther bezieht oder seine Kenntnis besonders Karl Holl verdankt.

[6] So nach R. Mokrosch, a. a. O. 74.

[7] P. Möser, a. a. O. 318, Anm. 51.

[8] Daß die eigene Entscheidung nicht adäquat begründet werden kann, findet sich auch brieflich an Karl Barth, 1933 GS II 130 f, 132; ferner brieflich an Karl Friedrich Bonhoeffer, 1933 GS III, 24.

[9] Vgl. Christian von Krockow, Die Entscheidung.

[10] Später, in AS 18, konstatiert Bonhoeffer den »Entscheidungscharakter des innerlogisch nicht mehr erzwingbaren Denkens«, vgl. dazu weiter unten.

[11] Vgl. dazu zuvor ebd. 167, ferner 1930, ebd. 63, bes. 106; daß die Entscheidung »aus der Einsamkeit, aus dem Alleinsein des Herzens mit Gott herkommen« muß, vgl. noch 1938, GS IV 444.

[12] Vgl. dazu E. Feil, Die Theologie Dietrich Bonhoeffers, a. a. O. 162.

[13] Auf die übrigen Aussagen von »Akt und Sein« braucht hier nur verwiesen zu werden, in denen Bonhoeffer über den Menschen in der Entscheidung reflektiert, 75 ff; diese befinden sich in Bonhoeffers Auslegung der Offenbarung auf Aktbegriffe, die Bonhoeffer nur als die eine Seite versteht, die aufgehoben werden muß in der Akt-Seins-Einheit.

[14] Vgl. Eberhard Bethge, Dietrich Bonhoeffer. Theologe – Christ – Zeitgenosse, München [3]1970, 587 ff.

[15] Vgl. hierzu speziell Eberhard Bethge, Status confessionis – Was ist das? Anmerkungen aus dem eigenen Erfahrungsbereich (1982), in: ders., Bekennen und Widerstehen. Aufsätze – Reden – Gespräche, München 1984, 50–86, bes. 68 ff; vgl. auch E. Feil, Die Theologie Dietrich Bonhoeffers, a. a. O. 66 ff.

[16] Vgl. E. Bethge, Glaubensgehorsam, der quersteht zur Obrigkeit (1982), in: a. a. O., 18–23, 20–22; vgl. dazu Dietrich Bonhoeffers Jahresbericht 1934/35 der Gemeinde Sydenham-London, GS II 201, sowie brieflich 1936 ebd. 212 f, 215, 244, ferner den Jahresbericht von Finkenwalde 1 36 ebd. 507, vgl. schließlich noch 1938 ebd. 320.

[17] P. Möser, a. a. O. 417.

REGISTER

Das vorliegende Register ist nicht auf Vollständigkeit angelegt. Es nennt einige zentrale Themen, die den inneren Zusammenhang der Beiträge und deren Aktualität erschließen können.

WERKVERZEICHNIS

Dietrich Bonhoeffer: Gesammelte Schriften I–VI, hrsg. von E. Bethge, Chr. Kaiser Verlag, München, 1968 ff (sowie zahlreiche Einzelausgaben, auch als Taschenbücher)

Dietrich Bonhoeffer Werke 1–16, hrsg. von Eberhard Bethge, Ernst Feil u. a., Chr. Kaiser Verlag, München, 1986 ff

Dietrich Bonhoeffer, Bilder aus seinem Leben, hrsg. von Eberhard Bethge, Renate Bethge, Christian Gremmels, Chr. Kaiser Verlag, München, 1986

Alfred Delp: Gesammelte Schriften I–IV, hrsg. von Roman Bleistein, Verlag Josef Knecht, Frankfurt/M, 1982–1984 (sowie Auszüge in 10 Einzelbändchen)

Edith Stein (Teresia Benedicta a Cruce) OCD: Werke I–X, hrsg. von L. Gelber und R. Leuven, Löwen-Verlag, Freiburg, 1950–1983

Edith Stein: Wege zur inneren Stille. Gesammelte Schriften, hrsg. von Waltraud Herbstrith, Kaffke-Verlag, München, 1978

Edith Stein: In der Kraft des Kreuzes, hrsg. von Waltraud Herbstrith, Herder-Verlag, Freiburg, 1982

ZU DEN AUTOREN

Dr. Ludwig Bertsch SJ, geboren 1929 in Frankfurt am Main, Professor für Pastoraltheologie an der Philosophisch-Theologischen Hochschule Frankfurt-St. Georgen. Zahlreiche Veröffentlichungen zu Grundfragen der praktischen Theologie und der nachkonziliaren Ekklesiologie.

Dr. Heinz Boberach, geboren 1929 in Köln, Leitender Archivdirektor beim Bundesarchiv in Koblenz. Grundlegende Forschungen und Veröffentlichungen zur Geschichte des Nationalsozialismus, Herausgeber der geheimen Lageberichte des Sicherheitsdienstes 1938–1945.

Dr. Ernst Feil, geboren 1932 in Dorsten, Professor für systematische Theologie an der Universität München. Herausgeber von Dietrich Bonhoeffers Werken, einer der wichtigsten katholischen Bonhoeffer-Forscher; zahlreiche Veröffentlichungen zur systematischen Theologie.

Gotthard Fuchs, geboren 1938 in Halle, Direktor der Katholischen Akademie Rabanus Maurus der Diözesen Fulda Limburg Mainz in Wiesbaden. Unterschiedliche Veröffentlichungen zu Fragen der systematischen Theologie, der Religionspädagogik und der Spiritualität.

Sr. Waltraud Herbstrith (Teresia a Matre Dei) OCD, geboren 1929 in Achern, Edith-Stein-Karmel in Tübingen. Zahlreiche Veröffentlichungen zu Edith Stein, zur Frömmigkeit des Karmel sowie zu Grundfragen der Spiritualität.

Dr. Heinrich Missalla, geboren 1926 in Wanne-Eickel, Professor für katholische Theologie an der Universität Essen. Zahlreiche Veröffentlichungen zu Fragen der kirchlichen Zeitgeschichte, zu Problemen theologischer Friedensethik und zur praktischen Theologie.

Dr. Heinz-Eduard Tödt, geboren 1918 in Bordelum, em. Professor für systematische Theologie (Sozialethik) an der Universität Heidelberg. Mitherausgeber von Dietrich Bonhoeffers Werken; grundlegende Veröffentlichungen zu Dietrich Bonhoeffer, zu sozialethischen und theologischen Fragen.